우리 산에서 만나는
나무 200가지

국립수목원 지음

GEOBOOK 지오북

우리 산에서 만나는 나무 200가지

발간사*

우리나라의 산에는 얼마나 많은 종류의 나무가 살고 있을까요? 국립수목원에서 연구한 결과 우리나라에 분포하고 있는 나무 종류는 총 1,217종류에 달합니다. 요즈음 많은 분들이 산을 찾고 있습니다. 등산하러 가시는 분, 산림욕을 즐기시는 분, 심신을 치료하기 위해 다니시는 분, 약수 뜨러 다니시는 분, 야생화 탐방하러 다니시는 분 등 그 목적도 다양합니다. 그런데 산을 찾는 분들은 과연 나무 이름을 몇 종류나 알고 있을까요? 소나무나 참나무 식구에 속하는 나무 종류들을 정확히 구분할 수 있나요? 이는 산림관련 종사자들도 마찬가지일 것입니다.

나무는 산림생태계를 구성하는 기본 요소입니다. 나무는 이산화탄소, 물 그리고 빛에너지를 이용하여 유기물을 만들고 그 유기물을 우리 인간이 활용하고 있습니다. 더구나 나무는 산소를 생산하고 지구온난화의 주범인 이산화탄소를 흡수하여 지구온난화를 억제해 주고 있습니다. 물을 저장하고 빗물이나 오염물질을 정화하는 역할도 하고 있습니다. 즉, 인간의 생명을 유지할 수 있게 해주는 고마운 생물입니다.

우리가 나무와 숲의 중요성을 알고 잘 보전하면서 지속가능하게 이용하려면 나무와 친숙해지는 것이 필요합니다. 친숙해지려면 나무 이름을 정확하게 아는 것부터 시작해야 합니다. 인간과 인간 사이의 관계에서도

이름이 중요하듯이 인간과 나무와의 관계에서도 이름이 중요합니다. 김춘수님의 시 '꽃' 처럼 이름을 불러주어야만 나에게 의미 있는 그 무엇이 될 수 있기 때문입니다. 그리고 진정한 산행을 즐기는 기쁨도 누릴 수 있게 됩니다.

우리 국립수목원에서는 그동안의 조사·연구를 통해 확보한 자료를 바탕으로 1,217종류의 나무 중에서 우리 산에서 흔히 만날 수 있는 나무 200가지를 선별하여 휴대가 간편한 도감으로 제작하였습니다. 사진과 함께 나무의 특징을 간단명료하게 설명해 놓았습니다. 아무쪼록 이 도감이 산행을 하실 때나 도시 공원을 산책하실 때나 나무에 대한 궁금함이 있을 때, 언제 어디서든 길잡이가 되었으면 하는 바람입니다.

끝으로 「우리 산에서 만나는 나무 200가지」 발간을 위한 원고 작성과 편집을 위해 애써주신 산림청 국립수목원과 지오북 관계자 여러분들께 감사의 마음을 전합니다.

2010년 6월

국립수목원장 김 용 하

차례*

이 책을* 보는 방법

이 책에는 우리나라 산에서 흔히 볼 수 있거나 좀 귀하지만 보호가 필요한 나무 200가지에 대해서 자세한 설명과 사진을 수록하였으며 비슷한 나무 144가지를 간략하게 정리해서 덧붙였다.

침엽수 : 상록교목 상록관목 상록소교목 낙엽교목 낙엽관목 낙엽소교목

활엽수 : 상록교목 상록관목 상록소교목 낙엽교목 낙엽관목 낙엽소교목 반관목

덩굴나무 : 상록 낙엽

흔히 보는 식물 희귀식물 특산식물

잎차례 : 마주나기 어긋나기 돌려나기 모여나기 모여나기 마주나기 모여나기 어긋나기

한잎나기 두잎나기 겹쳐나기

서식지 : 산지 산야 들 계곡 습지 해안가

구상나무 002

| 소나무과 |

Abies koreana E.H.Wilson

형태 상록 침엽 교목 | 개화기 5월(결실기 : 9~10월) | 분포 남부지방의 높은 산

높은 산에서 자생하는 나무로 높이는 18m에 달하고 수피는 거칠고 회갈색이다. 잎은 도피침상 선형으로 가지나 줄기에 돌려나며, 어린 가지에 잎은 끝이 2갈래로 갈라져 있다. 암수한그루로 수꽃은 타원형이고, 암꽃은 짙은 자주색으로 핀다. 열매는 구과로 원통형이고, 녹갈색 또는 자갈색이며, 포편의 침상 돌기가 뒤로 젖혀진다.

우리나라 특산식물, 희귀식물이고, 열매의 색에 따라 검은구상, 푸른구상, 붉은구상으로 구분하기도 한다. 비슷한 식물인 분비나무(*A. nephrolepis*)의 잎은 선형이고, 실편에 침상 돌기가 뒤로 젖혀지지 않는다.

17

우리 나무*200가지

우리나무*200가지

001 | 소나무과 |

전나무(젓나무)

Abies holophylla Maxim.

형태 상록 침엽 교목 | 개화기 4월(결실기 : 10월) | 분포 전국 깊은 산

높은 산에서 자생하며 높이는 40m이고 지름은 1.5m이다. 수피는 잿빛이 도는 암갈색으로 거칠고 작은가지는 회갈색이며 털이 없거나 간혹 있고 얕은 홈이 있다. 잎은 선형으로 가지에 촘촘히 달리며 끝이 뾰족하고 뒷면에 흰색 기공선이 있다. 꽃은 황록색으로 긴 원통형이다. 열매는 구과이고 원통형으로 겉으로 돌기가 나오지 않으며, 실편은 둥글고, 씨는 난상 삼각형으로 연한 갈색이다.

비슷한 식물로 일본전나무(*A. firma*)가 있고, 이는 일본에서 들어온 것으로 잎 끝이 2개로 갈라지고, 실편이 부채꼴 모양으로 익으면 떨어진다.

구상나무 002

| 소나무과 |

Abies koreana E.H.Wilson

형태 상록 침엽 교목 | **개화기** 5월(결실기 : 9~10월) | **분포** 남부지방의 높은 산

높은 산에서 자생하는 나무로 높이는 18m에 달하고 수피는 거칠고 회갈색이다. 잎은 도피침상 선형으로 가지나 줄기에 돌려나며, 어린 가지에 잎은 끝이 2갈래로 갈라져 있다. 암수한그루로 수꽃은 타원형이고, 암꽃은 짙은 자주색으로 핀다. 열매는 구과로 원통형이고, 녹갈색 또는 자갈색이며, 포편의 침상 돌기가 뒤로 젖혀진다.

우리나라 특산식물, 희귀식물이고, 열매의 색에 따라 검은구상, 푸른구상, 붉은구상으로 구분하기도 한다. 비슷한 식물인 분비나무(*A. nephrolepis*)의 잎은 선형이고, 실편에 침상 돌기가 뒤로 젖혀지지 않는다.

003 | 소나무과 | 일본잎갈나무(낙엽송)

Larix kaempferi (Lamb.) Carrière

형태 낙엽 침엽 교목 | 개화기 4~5월(결실기 : 9월) | 분포 전국 식재

산에 식재된 나무로 높이는 35m이고 지름 1m의 크기이며, 피라미드 모양이고 수피는 암갈색이다. 잎은 선형으로 밝은 녹색이며, 짧은 가지에 모여나고, 뒷면에 5개의 기공조선이 있다. 꽃은 암수한그루로 짧은 가지 끝에 1개씩 달린다. 열매는 구과로 위를 향하며 난상 원형이고, 씨는 삼각형으로 길이가 3~4.5mm이고, 날개는 씨 길이의 2배이다.

비슷한 식물인 잎갈나무(*L. olgensis* var. *koreana*)는 금강산 이북에 자생하고, 수피는 암회갈색이며, 씨는 길이가 4mm이며 날개가 길이 2mm로 씨보다 짧은 것이 다르다.

소나무

004

| 소나무과 |

Pinus densiflora Siebold & Zucc.

형태 상록 침엽 교목 | **개화기** 5월(결실기 : 9월) | **분포** 전국 산지

산에서 자생하는 나무로 높이는 35m이고 지름은 1.8m이며, 수피는 적갈색으로 노목은 흑갈색이고, 세로로 깊게 갈라진다. 잎은 침엽으로 2개가 모여나고, 꽃은 암수한그루로 수꽃은 타원형, 암꽃은 달걀형이다. 열매는 달걀형으로 황갈색이며, 씨는 타원형이고 흑갈색으로 날개가 있다.

널리 사용되는 나무로 솔잎과 화분, 수피를 약용이나 식용으로 사용하기도 한다. 비슷한 식물인 반송(*P. densiflora* f. *multicaulis*)은 밑부분에서 굵은 가지가 갈라지고, 금강소나무(*P. densiflora* f. *erecta*)는 밋밋하게 곧추 자란다.

005 잣나무(홍송)

| 소나무과 |

Pinus koraiensis Siebold & Zucc.

형태 상록 침엽 교목 | 개화기 5월(결실기 : 다음해 9월) | 분포 중부 이북 자생, 전국 식재

산에 주로 식재하는 나무로 높이는 30m이고 지름은 1m이며, 수피는 암갈색이다. 잎은 침엽으로 5개씩 모여나며, 3개의 능선이 있고, 양면에 흰색 기공조선이 5~6줄로 있다. 꽃은 암수한그루로 수꽃은 새가지 밑에, 암꽃은 가지 끝에 달린다. 열매는 구과로 원통상 달걀형이고, 씨는 일그러진 삼각형이다.

열매는 식용으로 널리 사용되고 있다. 잣나무의 종류에는 눈잣나무(*P. pumila*), 섬잣나무(*P. parviflora*), 스트로브잣나무(*P. strobus*)가 있다.

눈잣나무(누운잣나무)

006 | 소나무과 |

Pinus pumila (Pall.) Regel

형태 상록 침엽 관목 또는 소교목 | **개화기** 6~7월(결실기 : 다음해 9월) | **분포** 강원도

산에서 자생하는 나무로 높이는 4~5m이고 지름은 15cm이며, 평지에 심으면 곧추 자라고 산정에서는 누워서 자란다. 수피는 흑갈색이고, 잎은 5개씩 모여나며, 양면에 3~4줄의 기공조선이 있다. 꽃은 암수한그루로 수꽃은 가지 기부에 암꽃은 자주색으로 가지 끝에 달린다. 열매는 구과로 달걀형이며, 씨는 녹갈색에서 황갈색으로 변한다.

희귀식물이며 열매는 잣나무와 같이 식용할 수 있고, 대기오염에 약해 도심에서는 잘 자라지 못하지만 관상용으로 이용된다.

007 | 소나무과 |

리기다소나무(삼엽송)

Pinus rigida Mill.

형태 상록 침엽 교목 | 개화기 5월(결실기 : 다음해 9월) | 분포 전국 식재

산에 식재된 나무로 높이는 25m이고 지름은 1m이며, 수피는 적갈색이다. 줄기에도 잎이 나고 잎은 침엽으로 3개(간혹 4개)씩 모여나며, 딱딱하고 비틀린다. 꽃은 암수한그루로 암꽃은 뭉쳐나며 대가 발달하지 않거나 매우 짧고, 연한 갈색이다. 열매는 구과로 난상 원추형이다.

건조한 곳이나 습지에서 잘 자라기 때문에 사방조림용으로 사용할 수 있고, 송충이의 피해에도 강해 관상용으로 사용된다.

곰솔(해송)

008

| 소나무과 |

Pinus thunbergii Parl.

형태 상록 침엽 교목 | 개화기 5월(결실기 : 다음해 9월) | 분포 전국 해안가

해안가에서 자라는 나무로 높이는 20m이고 지름은 1m이며, 수피는 흑갈색이다. 잎은 침엽으로 억세고, 짙은 녹색이며, 다소 비틀리고, 끝이 뾰족하다. 꽃은 암수한그루로 수꽃은 자갈색이고, 암꽃은 달걀형이다. 열매는 구과로 난상 긴 타원형이며, 씨앗비늘은 중앙부가 나오지만 중앙부의 돌기가 뾰족하지 않고 다음해 9월에 녹갈색으로 성숙한다.

검은 소나무에서 이름이 유래되었고, 바닷가에 주로 분포하여 해송이라고도 한다.

009 | 측백나무과 | 향나무(노송나무)

Juniperus chinensis L.

형태 상록 침엽 소교목 | 개화기 4월(결실기 : 다음해 10월) | 분포 울릉도 자생, 전국 식재

울릉도에서 자생하고 있는 나무로 높이는 20m이고, 수피는 1년생 가지가 녹색이며, 3년생의 가지는 암갈색이다. 잎은 돌려나기 또는 마주나기이며, 4~6줄로 배열되고, 비늘잎은 7~8년부터 생기며, 능형으로 끝이 둥글다. 꽃은 암수딴그루로 수꽃은 연한 자갈색이며, 암꽃은 구형이다. 열매는 구과로 구형이며 자흑색이다.

향이 나는 나무라는 뜻에서 유래되었으며, 비슷한 식물로 비늘잎이 예두로서, 끝이 가지에서 떨어지며, 열매가 당년에 익는 연필향나무(*J. virginiana*)가 있다.

노간주나무(노가주나무)

010
| 측백나무과 |

Juniperus rigida Siebold & Zucc.

형태 상록 침엽 교목 | **개화기** 4~5월(결실기 : 10~12월) | **분포** 전국 산야

산에서 자생하는 나무로 높이는 8m이고 지름은 20cm이며, 수피는 갈색이고 길게 세로로 얕게 갈라진다. 잎은 침형으로 3개씩 돌려나고, 3개의 능선이 있다. 꽃은 암수딴그루로 전년지의 잎겨드랑이에서 핀다. 열매는 구과로 구형 또는 타원형이며, 씨는 갈색으로 다음해 성숙한다.

내한성이 강하며 건조한 땅에서도 잘 자라는 특성이 있다. 비슷한 식물로 바닷가에서 자라는 해변노간주(*J. rigida* var. *conferta*)가 있다.

011

| 측백나무과 |

측백나무

Thuja orientalis L.

형태 상록 침엽 교목 | 개화기 4월(결실기 : 9월) | 분포 충북, 경북 자생 및 전국 식재

산에 식재된 나무로 높이는 25m이고 지름은 1m이며, 수피는 회갈색이고 세로로 갈라진다. 잎은 비늘 모양이고, 뾰족하며 흰색 점이 약간 있고, 앞뒷면의 구분이 없다. 꽃은 암수한그루로 수꽃은 전년지 끝에 1개 달리고, 10개의 인편으로 구성되며 암꽃은 연한 자갈색이다. 열매는 구과로 달걀형이고, 씨는 흑갈색이다.

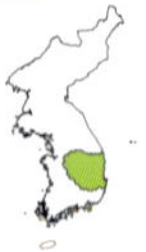

비슷한 식물인 서양측백(*T. occidentalis*)의 가지는 수평으로 발달하며, 가지의 잎은 서로 떨어져서 달리고, 잎이 달걀형으로 갑자기 뾰족해진다.

개비자나무(좀비자나무)

012

| 개비자나무과 |

Cephalotaxus koreana Nakai

형태 상록 침엽 관목 | 개화기 3~4월(결실기 : 9월) | 분포 중부 이남

산에서 자생하는 나무로 높이는 3m이고, 수피는 암갈색이고 세로로 갈라지며, 어린가지는 녹색이다. 잎은 선형이고, 뒷면에 2줄로 된 기공조선이 있다. 꽃은 암수딴그루로 수꽃은 편구형이고, 암꽃은 2개씩 한군데에 달린다. 열매는 핵과처럼 육질의 종의로 싸여 있고, 씨는 갈색으로 다음해 성숙한다.

비자나무와 유사하다 하여 '개'를 붙였으며, 이는 전라남도의 방언에서 유래되었고, 조경수로 사용한다.

013 | 주목과 | 주목

Taxus cuspidata Siebold & Zucc.

형태 상록 침엽 교목 | 개화기 4월(결실기 : 8~9월) | 분포 백두대간

백두대간을 중심으로 자생하는 나무로 높이는 17m이고 지름은 1m이며, 수피는 큰 가지와 줄기가 적갈색이고, 어린가지가 녹색이다. 잎은 나선상으로 배열하고, 옆으로 뻗은 가지에서는 깃털형으로 보이며, 끝이 뾰족하고 표면은 짙은 녹색이며, 뒷면에 2줄의 연한 황색줄이 있다. 꽃은 암수딴그루로, 수꽃은 6개의 인편, 암꽃은 10개의 인편으로 되어 있다. 열매는 컵 같은 적색 종의로 싸여 있다.

조경수, 가구재, 조각재, 기념수 등으로 사용되며, 비슷한 식물인 설악눈주목(*T. caespitosa*)은 고산 지대에서 누워서 자란다.

가래나무(산추자나무)

014

| 가래나무과 |

Juglans mandshurica Maxim.

형태 낙엽 활엽 교목 | 개화기 5~10월(결실기 : 9월) | 분포 백두대간

백두대간에서 자생하는 나무로 높이는 20m이고, 수피는 세로로 갈라진다. 잎은 홀수깃털형겹잎이고 소엽은 7~17개이며, 긴 타원형 또는 난상 타원형으로 끝이 뾰족하고 가장자리에 잔톱니가 있다. 꽃은 암수한그루로 암꽃은 가지 끝에 모여 달리고 바로 서며 붉은색이고, 수꽃차례는 꼬리처럼 길게 늘어지며 녹갈색이다. 열매는 핵과이고, 난상 원형이며, 끝이 매우 뾰족하다.

흔히 건축재, 기구재, 가구재, 조각재나 약용의 용도로 사용된다. 비슷한 식물인 호두나무(*J. regia*)의 소엽은 5~7개이고, 가장자리가 밋밋하고, 열매가 거꿀달걀형이다.

015 굴피나무(산가죽나무)

| 가래나무과 |

Platycarya strobilacea Siebold & Zucc.

형태 낙엽 활엽 교목 | 개화기 5~6월(결실기 : 9~11월) | 분포 중부 이남

산에서 자생하는 나무로 높이는 12m이고, 수피는 회갈색이며 얕게 갈라진다. 잎은 홀수깃털형겹잎으로 타원상 거꿀피침형이고 끝이 길게 점차 뾰족해지고 아래가 예리하게 좁아지거나 둥글게 좁아지며 가장자리에 깊은 톱니가 있다. 꽃은 암수한그루이다. 열매는 견과로 구과처럼 달린다.

열매는 식용, 뿌리와 함께 약용, 수피는 염료, 가로수나 조경수, 가구재로 사용한다. 비슷한 식물인 털굴피나무(*P. strobilacea* f. *coreana*)는 어린가지, 잎 및 꽃차례에 긴 갈색 털이 밀생한다.

호랑버들(노랑버들)

016

| 버드나무과 |

Salix caprea L.

형태 낙엽 활엽 소교목 | **개화기** 3~5월(결실기 : 4~6월) | **분포** 전국 산지

산에서 자생하는 나무로 높이는 6m(15m)이고 지름은 15cm이며, 수피는 회흑색이고, 어린가지에 견모가 있다. 잎은 어긋나기로 긴 타원형이고 뒷면에 끝까지 흰색의 융모가 밀생하며 파상거치가 있다. 꽃은 암수딴그루로 잎보다 먼저 전년지에 줄기와 잎자루 사이에서 핀다. 열매는 삭과로 긴 달걀형의 형태이고, 견모가 있다.

비슷한 식물인 좀호랑버들(*S. caprea* f. *elongata*)은 잎이 긴 타원형 또는 넓은 피침형으로 양 끝이 좁고, 잎 뒷면의 털이 끝까지 남아 있으며, 함북에서 자란다.

017
| 버드나무과 |

갯버들(솜털버들)

Salix gracilistyla Miq.

형태 낙엽 활엽 관목 | 개화기 3~4월(결실기 : 4~6월) | 분포 전국 산지

산에서 자생하는 나무로 높이는 2~3m이고, 뿌리 근처에서 많은 가지가 나오며, 어린가지는 황록색이다. 잎은 어긋나고 거꿀피침형 또는 넓은 피침형의 형태로 끝은 뾰족하며 밑은 예리하게 좁아지고 뒷면에 융모가 밀생한다. 꽃은 암수딴그루로 잎보다 먼저 전년지에 달리며, 수꽃은 검은색, 암꽃은 붉은색이다. 열매는 삭과로 긴 타원형이다.

물가에 나는 버들이라는 뜻으로 유래되었으며, 정원수나 꽃꽂이 재료로 사용된다.

버드나무(버들)

018

| 버드나무과 |

Salix koreensis Andersson

형태 낙엽 활엽 교목 | **개화기** 3~4월(결실기 : 5월) | **분포** 전국 산야

개울가나 산기슭에서 흔히 자라며 높이는 20m이고 지름은 80cm이며, 수피는 암갈색이고, 얕게 터진다. 잎은 좁은 피침형 또는 피침형으로 끝이 길게 점차적으로 뾰족해지며, 밑은 예리하게 좁아지고, 뒷면은 흰빛이 돌며, 중앙맥 위에 털이 있고, 가장자리에 안으로 휘는 작은 거치가 있다. 꽃은 암수딴그루로 암꽃이 녹색이며, 열매는 삭과이다.

용도는 하천보호수나 가구재, 기구재, 세공재로 사용하고, 비슷한 식물인 왕버들(*S. chaenomeloides*)은 잎이 타원형, 능수버들(*S. pseudolasiogyne*)은 가지가 밑으로 처진다.

019 사방오리(사방오리나무)

| 자작나무과 |

Alnus firma Siebold & Zucc.

형태 낙엽 활엽 소교목 | 개화기 4월(결실기 : 10월) | 분포 남부지방 식재

남부지방에 식재된 나무로 높이는 7m이고 지름은 30cm이며, 수피는 회갈색으로 소지에 털이 없다. 잎은 어긋나고 긴 타원상 피침형이고 끝이 점차로 뾰족해지며 가장자리에는 불규칙한 이중예거치가 있다. 꽃은 암수한그루로 잎과 함께 피고, 열매는 타원형으로 씨에 날개가 있다.

비슷한 식물인 왕사방오리(*A. firma* var. *hirtella*)는 어린가지, 엽병 및 맥 위에 밀모가 있다. 사방조림에 쓰이고, 열매와 수피에서 염료를 얻기도 한다.

오리나무(붉오리나무)

020

| 자작나무과 |

Alnus japonica (Thunb.) Steud.

형태 낙엽 활엽 교목 | **개화기** 3~4월(결실기 : 10월) | **분포** 전국 산지

산에서 자생하는 나무로 높이는 20m이고 지름은 70cm이다. 잎은 어긋나고 긴 타원형 또는 피침상 달걀형이며, 끝은 뾰족하고 밑은 점차 좁아지며 가장자리에 잔톱니가 있다. 꽃은 암수한그루로 암꽃은 긴 달걀형이다. 열매는 과수가 2~6개씩 달리고, 긴 달걀형이다.

비슷한 식물로 어린가지와 잎 뒷면에 갈색 털이 밀생하는 털오리나무(*A. japonica* var. *koreana*), 어린가지와 잎에 점성이 많은 웅기오리나무(*A. japonica* var. *reginosa*)가 있다.

021

| 자작나무과 |

물오리나무(산오리나무)

Alnus sibirica Fisch. ex Turcz.

형태 낙엽 활엽 교목 | 개화기 3~4월(결실기 : 10월) | 분포 중부 이북의 산지

백두대간을 중심으로 중부 이북에 분포하며 높이는 20m이고 지름은 60cm이며, 수피는 평활하고 회갈색이다. 잎은 어긋나고 타원상 달걀형이며 끝은 뾰족하고, 밑은 서서히 좁아지며, 가장자리는 이중에거치로 얕게 5~8개로 갈라진다. 꽃은 암수한그루로 암꽃이 수꽃 바로 아래에 달린다. 열매는 과수가 3~4개의 타원형으로 흑갈색이다.

용도로는 건축재나 기구재, 사방용으로 식재하기도 한다.

거제수나무(물자작나무)

022
| 자작나무과 |

Betula costata Trautv.

형태 낙엽 활엽 교목 | **개화기** 5~6월(결실기 : 9월) | **분포** 중부 이북의 높은 산

백두대간을 중심으로 중부 이북에 분포하며 높이는 30m이고 지름은 1m이며, 수피는 흰색 또는 갈백색이고 종잇장처럼 벗겨진다. 잎은 어긋나고 난상 타원형, 긴 난상 타원형이며 끝이 좁고 길게 뾰족하고 밑은 원저 또는 아심장저이며 가장자리는 이중예거치로 맥 위에 털이 있다. 꽃은 암수한그루이다. 열매는 과수가 달걀형이다.

봄 또는 여름에 나무껍질 속에 흐르는 물이 위장병, 폐결핵에 좋다 하여 식용 또는 약용으로 사용하며, 염료, 기구재, 가구재로 사용한다.

023 | 자작나무과 |

물박달나무(째작나무)

Betula davurica Pall.

형태 낙엽 활엽 교목 | 개화기 5월(결실기 : 9월) | 분포 경기도 이남

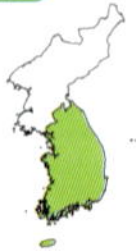

산에서 자라며 높이는 20m이고 지름은 40cm이며, 수피는 회갈색 또는 회색으로 흰 선점이 있다. 잎은 어긋나고 달걀형이며 밑은 예저 또는 아절저로 가장자리는 이중거치가 있으며 뒷면에 지점이 많고 맥 위에 잔털이 있다. 꽃은 암수한그루로 수꽃은 밑으로 처지고 암꽃은 곧추선다. 열매는 과수가 원통형으로 견과는 타원형이며 연한 적갈색으로 익으면 떨어진다.

한방에서 어린싹을 흑화라는 약재로 위염으로 인한 복통과 위산과다에 물을 넣고 달여서 복용하며, 조경수나 풍치림, 기구재, 가구재, 연료림 등으로 사용된다.

사스래나무(고채목)

024

| 자작나무과 |

Betula ermanii Cham.

형태 낙엽 활엽 교목 | **개화기** 5~6월(결실기 : 9~10월) | **분포** 백두대간

백두대간을 중심으로 분포하며 높이는 7~8m이고, 고산성으로 수피는 회적갈색 또는 거의 회백색이며 종잇장처럼 벗겨져서 줄기에 오랫동안 붙어 있다. 잎은 어긋나고 삼각상 달걀형이며 끝은 점차로 뾰족해지고 둥근 원저의 형태로 불규칙한 톱니와 함께 뒷면에 지점이 있으며 맥 위에 털이 있다. 꽃은 암수한그루로 암꽃은 달걀형이다. 열매는 과수가 곧추서고, 긴 타원형이다.

가구재나 조각재로 사용한다.

025 | 자작나무과 |

자작나무(봇나무)

Betula platyphylla var. *japonica* (Miq.) H.Hara

형태 낙엽 활엽 교목 | 개화기 4~5월(결실기 : 9~10월) | 분포 북부지방 깊은 산

북부 산지에서 자생하며 높이는 25m이고, 지름은 90cm이며, 수피는 흰색이고, 종이 같이 옆으로 벗겨진다. 잎은 어긋나고 삼각상 달걀형이고 끝은 첨두, 밑은 예저 또는 심장저이며 가장자리는 치아상 단거치 또는 복거치이고, 뒷면에 지점이 있으며 맥겨드랑이에 갈색 털이 있다. 꽃은 암수한그루로 수꽃은 붉은 노란색이고, 암꽃은 아래로 처진다. 열매는 과수가 원통형으로 밑으로 처진다.

조경수, 가구재, 기구재, 조각재, 합판재 등으로 사용되기도 하며, 나무껍질을 이뇨, 진통, 해열에 사용한다. 나무가 탈 때 자작자작 소리가 나서 자작나무라 한다.

박달나무(참박달나무)

026

| 자작나무과 |

Betula schmidtii Regel

형태 낙엽 활엽 교목 | **개화기** 5월(결실기 : 9월) | **분포** 전국 산야의 양지

산에서 자생하는 나무로 높이는 30m이고 지름은 1m이며, 수피는 암회색으로 벗겨지지 않는다. 잎은 어긋나고 달걀형이며 끝은 점첨두, 밑은 넓은 예저, 가장자리에 잔톱니가 있고 뒷면 맥 위에 털이 있다. 꽃은 암수한그루로 수꽃은 가지 끝에 처지고, 암꽃은 원통형으로 바로 선다. 열매는 과수가 원통형이다.

목재의 재질이 매우 단단하다. 비슷한 식물로 잎 표면에 간혹 털, 뒷면에 지점이 없고, 열매가 달걀형인 개박달나무(*B. chinensis*)가 있다.

027 | 자작나무과 |

까치박달(나도밤나무)

Carpinus cordata Blume

형태 낙엽 활엽 교목 | 개화기 4~5월(결실기 : 9월) | 분포 전국 산지

산에서 자생하는 나무로 높이는 15m이고 지름은 60cm이며, 수피는 어긋나고, 회색으로 거의 평활하다. 잎은 달걀형, 긴 달걀형 또는 타원형으로 끝은 점첨두이고 밑은 심장저이며 가장자리에 불규칙한 이중거치가 있다. 꽃은 암수한그루로 암꽃은 가지 끝에서 밑으로 처지고 원통형으로 포 양쪽에 톱니가 있고 대칭이다. 열매는 소견과로 타원형이다.

목재는 치밀하고 굳으며 탄력성이 좋고 질겨서 잘 쪼개지지 않는다. 세공예품이나 기구재로 사용하기도 한다.

서어나무(서나무)

028

| 자작나무과 |

Carpinus laxiflora (Siebold & Zucc.) Blume

형태 낙엽 활엽 교목 | **개화기** 4~5월(결실기 : 10월) | **분포** 강원도와 황해도 이남

산에서 자생하는 나무로 높이는 15m이고 지름은 1m이며, 수피는 회색으로 울퉁불퉁하다. 잎은 어긋나고 타원형 또는 긴 달걀형이며 뒷면 맥 위에 잔털이 있다. 꽃은 암수한그루로 잎보다 먼저 피며, 수꽃은 밑으로 처진다. 열매는 소견과이고, 열매의 포는 톱니가 비대칭이다.

비슷한 식물로 표면과 뒷면 맥 위에 털이 있는 개서어나무(*C. tschonoskii*)가 있다. 세공예품이나 기구재로 사용한다.

029
| 자작나무과 |

소사나무(거문소사나무)

Carpinus turczaninovii Hance

형태 낙엽 활엽 관목 | 개화기 4~5월(결실기 : 9~10월) | 분포 경기도 이남의 해안가

주로 해안가에 분포하는 나무로 잔가지와 잎자루에 털이 밀생한다. 잎은 어긋나고 달걀형으로 끝은 첨두 또는 둔두, 밑은 원저이며 가장자리에 겹톱니가 있고 뒷면 맥 위에 털이 많다. 꽃은 암수한그루이다. 열매는 과수의 포가 반달갈형으로 아랫부분이 열매를 약간 둘러싸고 밑으로 늘어지며 소견과는 달갈형이다.

농기구재나 공원수로 사용된다.

참개암나무

개암나무(난티잎개암나무)

030
| 자작나무과 |

Corylus heterophylla Fisch. ex Trautv.

형태 낙엽 활엽 관목 | 개화기 3월(결실기 : 9~10월) | 분포 전국 산야

산에서 자생하는 나무로 잎은 어긋나고 달걀형, 원형 또는 거꿀달걀형의 형태로 끝은 짧은 예첨두, 밑은 원저 또는 아심장저이며 가장자리에는 뚜렷하지 않은 결각과 잔톱니가 있고 뒷면에 잔털이 있다. 꽃은 암수한그루로 수꽃은 지난해에 생기고 암꽃은 겨울눈 안에 있다. 열매는 견과로 둥글며 털이 없고 갈색이다.

열매는 먹을 수 있고, 혹부리 영감 이야기가 전해진다. 비슷한 식물로 포가 통 모양으로 열매를 싸고 있는 참개암나무(*C. sieboldiana*)가 있다.

031 | 참나무과 |

밤나무

Castanea crenata Siebold & Zucc.

형태 낙엽 활엽 교목 | 개화기 6월(결실기 : 9~10월) | 분포 평남, 함남 이남 산지

산에서 자생하는 나무로 높이는 15m이고 지름은 1m이며, 수피는 세로로 갈라진다. 잎은 어긋나고 타원형 또는 긴 타원형이며 끝이 점첨두, 밑이 원저 또는 아심장저의 형태로 파상의 톱니가 있고 맥 위 털과 선점이 밀포하고 있다. 꽃은 암수한그루로 수꽃은 유백색, 암꽃은 3개씩 한군데에 모여 달린다. 열매는 외과피에 가시가 있고, 내피가 잘 벗겨지지 않으며 익으면 벌어진다.

열매는 먹을 수 있고, 비슷한 식물로 잎 뒷면에 선점이 있고 잔가지에 털, 열매의 자리가 좁고 껍질이 잘 벗겨지는 약밤나무(*C. bungeana*)가 있다.

상수리나무(도토리나무)

032

| 참나무과 |

Quercus acutissima Carruth.

형태 낙엽 활엽 교목 | **개화기** 5월(결실기 : 10월) | **분포** 전국 산야

산에서 자생하는 나무로 높이는 20~25m이고 지름은 1m이며, 수피는 흑회색이고 갈라진다. 잎은 긴 타원형으로 둔두 또는 예두이며 넓은 예저 또는 원저의 형태이고 뒷면은 다세포의 단모, 침상의 예리한 톱니가 있다. 꽃은 암수한그루로 수꽃은 새가지 밑부분에서 처지고, 암꽃은 윗부분에서 곧추 나와 달린다. 열매는 견과로 둥글고 이듬해 성숙한다.

한방에서 열매를 유선염에 사용하는 약재로 쓰며, 숯이나 가구재, 기구재, 선박재, 토공재, 표고 골목 등으로 사용하고, 잎은 누에를 기르는데 사용한다.

033 | 참나무과 |

갈참나무

Quercus aliena Blume

형태 낙엽 활엽 교목 | 개화기 5월(결실기 : 10월) | 분포 전국 산야

산에서 자생하는 나무로 높이는 25m이고 지름은 1m이며, 수피는 약간 거칠게 그물처럼 갈라진다. 잎은 타원상 거꿀달걀형 또는 타원형으로 둔두 또는 예두, 예저이며, 가장자리에 치아상 뾰족한 톱니가 있고 뒷면은 회백색으로 성모가 있다. 꽃은 암수한그루 또는 암수한꽃으로 수꽃은 잎겨드랑이에서 밑으로 처지고 암꽃은 곧추 선다. 열매는 견과로 타원형이고 끝부분에 털이 있다.

어린잎은 비료로 사용하며, 목재는 가구재, 건축재, 숯 등으로 사용한다.

떡갈나무

034

| 참나무과 |

Quercus dentata Thunb.

형태 낙엽 활엽 교목 | 개화기 5월(결실기 : 9~10월) | 분포 전국 산지

산에서 자생하는 나무로 높이는 20m이고 지름은 70cm이며, 수피는 회갈색으로 깊게 갈라진다. 잎은 두껍고 거꿀달걀형이며 둔두로 귀형이고 심장저 또는 원저 및 둔저의 형태로 뒷면은 끝까지 긴 성모가 있다. 꽃은 암수한그루 또는 암수한꽃으로 수꽃은 잎겨드랑이에서 밑으로 처지고, 암꽃은 위로 곧추선다. 열매는 견과로 긴 타원형이다.

떡을 찔 때 시루에 깐다는 뜻으로 일본에서는 모찌를 잎에 싸서 먹는데, 잎파랑치의 향긋한 냄새와 잎에 묻은 진딧물 오줌의 달착지근한 맛이 배어서 떡 맛이 좋다고 한다.

035 신갈나무(돌참나무)

| 참나무과 |

Quercus mongolica Fisch. ex Ledeb.

형태 낙엽 활엽 교목 | 개화기 4~5월(결실기 : 9~10월) | 분포 전국 산지

산에서 자생하는 나무로 높이는 30m이고 지름은 1m이며, 수피는 암회색이다. 잎은 어긋나고 가지 끝에서 모여나기한 것처럼 보이며, 거꿀달걀상 긴 타원형으로 둔두, 이저이고 가장자리에는 둔한 톱니가 있다. 꽃은 잡성으로 암수한그루이며, 암꽃은 윗부분에서 곧추 자란다. 열매는 견과로 타원형이다.

열매는 식용하고 목재는 건축재, 가구재, 숯 등으로 사용되고, 나무껍질과 씨를 하혈, 주름살 등에 약으로 사용한다.

졸참나무(굴밤나무)

036

| 참나무과 |

Quercus serrata Thunb.

형태 낙엽 활엽 교목 | 개화기 4~5월(결실기 : 9월) | 분포 전국 산지

산에서 자생하며 높이는 23m이고 지름은 1m이며, 수피는 회색이다. 잎은 어긋나고 난상 피침형으로 가장자리에 톱니가 다소 안쪽으로 향하고 뒷면 맥 위에는 단복모가 있다. 꽃은 암수한그루 또는 잡성화로 수꽃은 새가지 밑부분 잎겨드랑이에서 밑으로 처지고, 암꽃은 새가지 윗부분에서 곧추선다. 열매는 견과로 긴 타원형이다.

열매가 작은 참나무라는 뜻의 일본명에서 유래되었다. 열매는 식용하고, 조각재, 건축재, 가구재, 세공재, 토공재, 숯 등으로 사용된다.

037 굴참나무

| 참나무과 |

Quercus variabilis Blume

형태 낙엽 활엽 교목 | 개화기 5월 (결실기 : 9~10월) | 분포 중부 이남의 산지

산에서 자생하며 높이는 30m이고 지름은 1m이며, 수피는 코르크가 두껍게 발달하여 깊이 갈라진다. 잎은 어긋나고 긴 타원형, 타원형 또는 긴 타원상 피침형으로 가장자리에 침상의 예리한 톱니가 있고 뒷면에 성모가 밀생한다. 꽃은 암수한그루로 수꽃은 새가지 밑에서 처지고, 암꽃은 위에서 곧추선다. 열매는 견과로 구형이고, 다음해 성숙한다.

기구재, 선박재, 차량재, 가구재, 침목, 표고골목, 숯 등으로 사용한다.

팽나무(둥근잎팽나무)

038

| 느릅나무과 |

Celtis sinensis Pers.

형태 낙엽 활엽 교목 | 개화기 5월(결실기 : 10월) | 분포 전국 산야

산에서 자생하는 나무로 높이는 20m이고 지름은 1m이며, 수피는 회갈색으로 어린가지가 흑갈색이고 잔털이 밀생한다. 잎은 어긋나고 달걀형, 타원형 또는 긴 타원형이며 끝이 첨두로 예저의 형태를 갖는다. 꽃은 잡성화로 수꽃은 새가지의 잎겨드랑이에서 나오고, 암꽃은 1~3개씩 달린다. 열매는 핵과로 둥글고 붉은색이 강한 노란색이다.

비슷한 식물로 열매가 검은색으로 익는 좀풍게나무(*C. bungeana*)가 있다. 건축재, 기구재, 가구재, 숯, 공원수, 정원수, 풍치수 등으로 사용한다.

039 | 느릅나무과 |

느릅나무(떡느릅나무)

Ulmus davidiana var. *japonica* (Rehder) Nakai

형태 낙엽 활엽 교목 | 개화기 4~5월(결실기 : 5월) | 분포 전국 산야

산에서 자생하는 나무로 높이는 30m이고 지름은 1m이며, 수피는 암갈색으로 세로로 균열이 생긴다. 잎은 어긋나고 긴 타원형이며 끝이 뾰족한 첨두이고 왜저의 형태이며 뒷면은 맥 위에 털이 있다. 꽃은 양성화로 잎이 피기 전에 먼저 피며 잎겨드랑이에 7~15개씩 모여서 난다. 열매는 시과로 털이 없다.

비슷한 식물로 열매에 털이 있는 당느릅나무(*U. davidiana*)가 있다. 봄에 어린잎을 식용, 약용, 가구재, 건축재, 악기재, 선박재, 정원수, 공원수 등에 사용한다.

느티나무(긴잎느티나무)

040

| 느릅나무과 |

Zelkova serrata (Thunb.) Makino

형태 낙엽 활엽 교목 | **개화기** 4~5월(결실기 : 5월) | **분포** 평남, 함남 이남 산야

산에서 자생하는 나무로 높이는 26m이고 지름은 3m이며, 수피는 오랫동안 평활하다가 비늘처럼 떨어진다. 잎은 어긋나고 긴 타원형 또는 타원형, 달걀형 점첨두이며 예저로 가장자리에는 단거치가 있다. 꽃은 암수한그루로 수꽃은 새가지 밑에 달리고 암꽃은 1개씩 달린다. 열매는 일그러진 편구형이다.

비슷한 식물로 가지에 가시가 있고, 뒷면 맥 위에 털이 있으며, 열매는 한쪽에만 날개가 있는 시무나무(*Hemiptelea davidii*)가 있다.

041 | 뽕나무과 |

닥나무(딱나무)

Broussonetia kazinoki Siebold

형태 낙엽 활엽 관목 | 개화기 5~6월(결실기 : 8~10월) | 분포 중부 이남의 산지

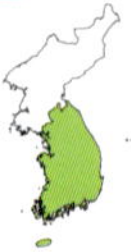

산에서 자생하는 나무로 높이는 3m이고, 수피는 회갈색이며 매우 질기다. 잎은 어긋나고 달걀형이며 긴 점첨두와 원저 또는 아심장저로 가장자리에 톱니와 더불어 2~3개의 결각이 있다. 꽃은 암수한그루로 잎과 더불어 핀다. 열매는 외과피 육질로 되어 붉은색이며 내과피는 입상의 돌기가 있다.

옛날에는 닥나무 껍질의 섬유로 저포라는 베를 짰고, 고려시대부터 종이 원료로 사용하였다.

꾸지뽕나무(구지뽕나무)

042

| 뽕나무과 |

Cudrania tricuspidata (Carr.) Bureau ex Lavallee

형태 낙엽 활엽 소교목 또는 관목 | **개화기** 5~6월(결실기 : 9~10월) | **분포** 서해안 및 남해안 서부

해안가에서 자생하는 나무로 가지에 가시가 있으며 소지에 털이 있다. 잎은 3개로 갈라져 달걀형이며 둔두와 예저로 가장자리가 밋밋하고 뒷면에 융모가 있다. 꽃은 암수딴그루로 수꽃은 둥글고 노란색이며 암꽃은 타원형이다. 열매는 취과로 둥글고 육질이며 붉은색을 나타내고, 수과는 검은색이다.

잎은 뽕잎 대신 사용하고, 열매는 먹을 수 있으며, 나무껍질과 뿌리는 약용이나 종이원료로 사용한다.

043 산뽕나무(뽕나무)

| 뽕나무과 |

Morus bombycis Koidz.

형태 낙엽 활엽 소교목 | 개화기 5월(결실기 : 6~7월) | 분포 전국 산지

산에서 자생하는 나무로 높이는 7~8m이고 지름은 1m이며, 수피는 회갈색이다. 잎은 달걀형 또는 넓은 달걀형으로 가장자리에 불규칙한 톱니가 있고 끝이 꼬리처럼 길고 뒷면 중앙맥 위에 털이 약간 존재한다. 꽃은 암수딴그루 또는 잡성화로 수꽃은 새가지 밑에서 아래로 처지고, 암꽃은 타원형이다. 열매는 취화과다.

비슷한 식물로 잎 끝이 길게 발달하는 꼬리뽕나무(*M. bombycis* var. *caudatifolia*), 일년지의 줄기가 붉은 붉은대산뽕(*M. bombycis* var. *rubricaulis*) 등이 있다.

좀깨잎나무(새끼거북꼬리)

044

| 쐐기풀과 |

Boehmeria spicata (Thunb.) Thunb.

형태 낙엽 활엽 반관목 | **개화기** 7~8월(결실기 : 9~10월) | **분포** 평남, 강원도 이남

산에서 자생하는 나무로 높이는 50~100cm이고, 수피는 붉은빛이 돈다. 잎은 마주나고 사각상 달걀형으로 끝이 갑자기 꼬리처럼 길어지고 예저이며 가장자리에 큰 톱니가 있고 표면에 복모가 있으며 뒷면 맥 위에 털이 있다. 꽃은 암수한그루로 수꽃은 밑부분의 잎겨드랑이, 암꽃은 줄기 윗부분에 핀다. 열매는 긴 거꿀달걀형이다.

껍질은 섬유가 발달되어 섬유자원으로 이용하고, 어린순은 나물로 먹는다.

045 겨우살이(겨우사리)

| 겨우살이과 |

Viscum album var. *coloratum* (Kom.) Ohwi

형태 상록 활엽 관목 | 개화기 4월(결실기 : 8~10월) | 분포 평북, 함남 이남 산지

산에서 자생하는 참나무, 팽나무, 물오리나무, 밤나무 및 자작나무에 기생하는 나무로 둥글게 자라고 지름이 1m에 달하는 것도 있으며, 수피는 황록색이고 줄기가 차상으로 갈라진다. 잎은 마주나고 피침형으로 둔두와 원저이며 밑으로 갈수록 점점 좁아지고 짙은 녹색으로 두껍다. 꽃은 암수딴그루로 노란색이다. 열매는 둥글고 연한 노란색이다.

비슷한 식물로 열매가 적색으로 익는 붉은겨우살이(*V. album* f. *rubroauranticum*)가 있다. 한방에서 줄기와 잎을 약재로 사용한다.

함박꽃나무(산목련)

046

| 목련과 |

Magnolia sieboldii K.Koch

형태 낙엽 활엽 소교목 | **개화기** 5~6월(결실기 : 9월) | **분포** 전국 계곡

산에서 자생하는 나무로 높이는 7m이고, 수피는 잿빛이 도는 황갈색으로 골속이 흰색이다. 잎은 어긋나고 두꺼우며 넓은 타원형으로 윗부분이 둔하지만 끝은 뾰족하고 원저이며 가장자리가 밋밋하고 뒷면은 회녹색으로 맥을 따라 털이 있다. 꽃은 양성화로 잎이 핀 다음 나와서 밑을 향해 피고 흰색이다. 열매는 달걀상 원형이다.

관상용으로 심기도 하고, 수피를 건위제, 구충제 등으로 약용하기도 한다.

047 | 오미자과 | 오미자(개오미자)

Schisandra chinensis (Turcz.) Baill.

형태 낙엽 활엽 덩굴성 | 개화기 4~6월(결실기 : 8~10월) | 분포 전국 산지

산에서 자생하는 덩굴성 식물로 길이는 6~9m이며, 수피는 회갈색이고, 줄기가 가늘다. 잎은 어긋나고 넓은 타원형이며 점첨두, 예저로 가장자리에 작은 치아상 톱니가 있으며, 뒷면 맥 위에 털이 있다. 꽃은 암수딴그루로 약간 붉은빛이 도는 유백색이다. 열매는 장과이며 수상으로 달리고 붉은색이다.

열매에 다섯 가지 맛이 섞여 있어 오미자라 하며 약용, 식용이다.

비목나무(보얀목)

048

| 녹나무과 |

Lindera erythrocarpa Makino

형태 낙엽 활엽 교목 | **개화기** 4~5월(결실기 : 8~10월) | **분포** 황해도 이남의 산야

산에서 자생하는 나무로 높이는 15m 내외이고 지름은 40cm이다. 수피는 황백색으로 노목의 수피가 작은 조각으로 떨어진다. 잎은 어긋나고 두꺼우며 타원형으로 예두, 예저 또는 원저로 표면에 윤채가 있고 뒷면은 회녹색이다. 꽃은 암수딴그루로 잎이 필 때 잎겨드랑이에서 노란색의 산형꽃차례가 달린다. 열매는 장과로 둥글며 붉은색이다.

목재는 기구재로 사용하고 관상용으로 심는다. 비슷한 식물로 감태나무(*L. glauca*)가 있다.

049 | 녹나무과 | 생강나무(동백나무)

Lindera obtusiloba Blume

형태 낙엽 활엽 관목 | 개화기 3~5월(결실기 : 9~10월) | 분포 전국 산야

산에서 자생하는 나무로 높이는 3m이고, 수피는 흑회색이며 소지가 황록색이다. 잎은 어긋나고 달걀형으로 둔두 및 심장저 또는 원저의 형태이며 윗부분이 3~5개로 갈라지지만 가장자리는 밋밋하고 털이 있다. 꽃은 암수딴그루로 잎보다 먼저 피고 노란색이다. 열매는 둥글고 검은색이다.

가지를 꺾으면 생강냄새가 나기 때문에 생강나무라 한다. 열매로 기름을 짜서 동백나무라 한다. 비슷한 식물로 잎이 전혀 갈라지지 않는 둥근잎생강나무(*L. obtusiloba* f. *ovata*)가 있다.

할미밀망

사위질빵(질빵풀)

050
| 미나리아재비과 |

Clematis apiifolia DC.

형태 낙엽 활엽 덩굴성 | **개화기** 7~9월(결실기 : 9~10월) | **분포** 황해도 이남 산지

산에서 자생하는 덩굴성 식물로 길이는 3m이고, 줄기는 세로에 능선이 있으며, 어린가지에 잔털이 있다. 잎은 마주나고 3출 간혹 2회3출하며 가장자리에는 결각상의 톱니가 드문드문 있고, 뒷면 맥 위에 잔털이 있다. 꽃은 짧은 취산꽃차례 또는 원추꽃차례로 흰색으로 피며 표면에 잔털이 있다. 열매는 수과로 5~10개씩 모여 달린다.

비슷한 식물로 잎이 우상복엽이고, 소엽이 3~5개, 열매가 15~16개가 모여 달리는 할미밀망(*C. trichotoma*)이 있다.

051
| 미나리아재비과 |

병조희풀(조희풀)

Clematis heracleifolia DC.

형태 낙엽 활엽 반관목 | 개화기 7~9월(결실기 : 9월) | 분포 전국 산지

산에서 자생하는 나무로 높이는 1m이고, 밑부분은 목질이 발달하지만 윗부분은 죽는다. 잎은 마주나고 소엽이 3개이며 첨두, 넓은 예저 또는 절저이고 가장자리에 톱니가 드문드문 있으나 흔히 3개의 얕은 결각이 생긴다. 꽃은 잡성화로 짙은 하늘색이며 아래로 처진다. 열매는 수과로 달걀형이다.

뿌리는 약재로 사용한다.

자주조희풀(목단풀)

052

| 미나리아재비과 |

Clematis heracleifolia var. *davidiana* Hemsl.

형태 낙엽 활엽 반관목 | 개화기 8~9월(결실기 : 9~10월) | 분포 중부 이북의 산지

산에서 자생하는 나무로 줄기가 가늘고 길다. 잎은 3출복엽으로 넓은 달걀형이며 가장자리에는 결각 모양의 거친 톱니가 있다. 꽃은 암수딴그루로 남청색이며 정생 또는 액생하는 산형꽃차례에 빽빽하게 달려 거의 두상으로 보이고 아래로 처지지 않는다. 열매는 수과로 암술대가 남아 있고 긴 털이 밀생한다.

꽃이 없으면 병조희풀(*C. heracleifolia*)과 구별이 어렵다. 뿌리는 약재로 사용한다.

053 | 미나리아재비과 |

큰꽃으아리(어사리)

Clematis patens C. Morren & Decne.

형태 낙엽 활엽 덩굴성 | 개화기 5~6월(결실기 : 9~10월) | 분포 전국 산지

산에서 자생하며 줄기가 가늘고 길며 잔털이 있다. 잎은 3출 또는 깃털형겹잎으로 마주나며 달걀형으로 가장자리에 톱니가 없고 뒷면에 잔털이 있다. 꽃은 가지 끝에 1개씩 달린다. 열매는 수과로 달걀형이며 암술대가 남아 있고 갈색 및 노란색 털이 발달한다.

꽃이 큰 으아리라는 뜻에서 큰꽃으아리라 부른다. 많은 원예품종으로 개발되었고, 한방에서 뿌리를 약재로 사용한다.

으아리(응아리)

054
| 미나리아재비과 |

Clematis ternuiflora var. *mandshurica* (Rupr.) Ohwi

형태 낙엽 활엽 덩굴성 | 개화기 5~9월(결실기 : 8~11월) | 분포 전국 산지

산에서 자생하고 길이는 2m이다. 잎은 마주나고 깃털형겹잎으로 소엽은 달걀형 첨두, 원저 또는 넓은 예저로 양면에 털이 없고 가장자리에 톱니가 없다. 꽃은 흰색으로 가지 끝과 잎짬에 취산꽃차례로 10~30개가 달린다. 열매는 수과로 달걀형이며, 암술대는 꼬리 같고 흰색 털이 있다.

어린잎은 식용하고 뿌리는 약재로 사용하며, 관상용으로 쓰인다. 비슷한 식물로 잎이 둔두, 아심장저의 형태인 참으아리(*C. terniflora*)가 있다.

055 | 매자나무과 | 매발톱나무

Berberis amurensis Rupr.

형태 낙엽 활엽 관목 | 개화기 5~10월(결실기 : 9~10월) | 분포 중부 이북의 산지

산에서 자생하는 나무로 높이는 2m이고, 수피는 암회색, 가지가 회색으로 어린가지에 구가 있고 가시는 3개로 갈라진다. 잎은 새가지에서 어긋나고 짧은가지에서 모여나는 것처럼 보이며 타원형이고 둔두, 예두, 예저이며 가장자리는 예리하고 불규칙한 침상 톱니의 간격이 짧다. 꽃은 총상꽃차례로 반쯤 처지고 10~20개의 꽃이 달리며 꽃잎은 약간 작은 오목형이다. 열매는 타원형으로 붉은색이다.

잎의 예리한 가시를 매발톱에 비유하여 매발톱나무라 한다. 비슷한 식물로 잎이 원형 또는 난상 원형인 왕매발톱나무(*B. amurensis var. latifolia*)가 있다.

매자나무

056

| 매자나무과 |

Berberis koreana Palib.

형태 낙엽 활엽 관목 | **개화기** 5월(결실기 : 9월) | **분포** 경기도 이북의 산지

산에서 자생하는 나무로 높이는 2m이고, 가지는 많이 갈라지며, 소지에 구가 있고 이년지는 붉은색 또는 암갈색으로 가시의 길이는 6~12mm이다. 잎은 두껍고 타원형으로 둔두와 예저의 형태이며 가장자리는 침상의 예리한 톱니가 고르지 않고, 양면에 털이 없다. 꽃은 양성화로 잎보다 짧은 총상꽃차례에 달리고 노란색이다. 열매는 둥글고 붉은색이다.

우리나라 특산식물이며, 비슷한 식물로 잎에 톱니가 없고, 가시가 단순한 당매자나무(*B. poiretii*)가 있다. 잎에 독성이 있고, 줄기와 뿌리를 약으로 사용한다.

057 으름덩굴(으름)

| 으름덩굴과 |

Akebia quinata (Thunb.) Decne.

형태 낙엽 활엽 덩굴성 | 개화기 4~5월(결실기 : 10월) | 분포 황해도 이남의 산야

덩굴성으로 길이는 5m이고, 가지에 털이 없으며 갈색이다. 잎은 새 가지에서 어긋나고 오래된 가지에서 모여나기를 하며 손바닥 모양의 겹잎형으로 가장자리가 밋밋하다. 꽃은 암수한그루로 잎과 더불어 짧은 가지의 잎 사이에서 나오는 짧은 총상꽃차례에 달린다. 열매는 장과로 복봉선으로 터지고 갈색이다.

비슷한 식물로 소엽이 6~9개인 여덟잎으름(*A. quinata* f. *polyphylla*)이 있다. 줄기는 약재로 쓰거나 바구니를 만드는데 사용한다.

멀꿀(멀굴)

058

| 으름덩굴과 |

Stauntonia hexaphylla (Thunb.) Decne.

형태 상록 활엽 덩굴성 | **개화기** 4~5월(결실기 : 8~10월) | **분포** 남부지방

남부지방에서 자생하는 덩굴성 식물로 길이는 15m이고, 수피는 많은 껍질눈이 있어 거칠고 소지가 녹색이다. 잎은 손바닥 모양 겹잎형으로 소엽은 달갈형 또는 타원형이며 첨두, 원저 또는 넓은 예저로 두껍다. 꽃은 암수딴그루로 총상꽃차례에 2~4개씩 달리고 유백색이다. 열매는 장과로 타원형이며 적갈색이고, 과육은 노란색이며 씨는 검은색으로 100개 이상 들어 있다.

분재로 많이 심기도 하고, 식용으로 사용된다.

059 | 방기과 | 댕댕이덩굴(끗비돗초)

Cocculus trilobus (Thunb.) DC.

형태 낙엽 활엽 덩굴성 | 개화기 6월(결실기 : 8~10월) | 분포 황해도, 강원도 이남 지역

산에서 자생하는 덩굴성 식물로 길이는 3m이고, 줄기에 털이 있다. 잎은 어긋나고 달걀형 또는 난상 원형이며, 윗부분이 3개로 갈라지기도 하고 첨두 또는 둔두, 아심장저의 형태이다. 꽃은 암수딴그루로 원추꽃차례가 가지 옆에 달린다. 열매는 핵과로 둥글며 검은색이고 하얀 가루로 덮여 있으며, 씨는 편평하고 많은 환상선이 있다.

유독성 식물이며, 줄기와 뿌리를 말려서 약으로 사용, 줄기는 바구니 등 세공재로 사용한다.

다래(다래나무)

060

| 다래나무과 |

Actinidia arguta (Siebold & Zucc.) Planch. ex Miq.

형태 낙엽 활엽 덩굴성 | **개화기** 5~6월(결실기 : 9월) | **분포** 전국 산야

산에서 자생하는 덩굴성 식물로, 줄기의 골속이 갈색이고 계단 모양이며 어린가지에 잔털이 있다. 잎은 어긋나고 넓은 달걀형, 넓은 타원형 또는 타원형으로 뒷면 맥겨드랑이에만 갈색이 도는 털이 남고 가장자리에 물결 모양의 잔톱니가 있다. 꽃은 암수딴그루로 취산꽃차례가 잎겨드랑이에 달린다. 열매는 달걀 모양의 원형으로 황록색이다.

비슷한 식물로 잎 뒷면 맥 위에 돌기가 있고 맥겨드랑이에 흰색 털이 있는 털다래(*A. arguta* var. *platyphylla*)가 있다.

061 | 다래나무과 |

쥐다래(쥐다래나무)

Actinidia kolomikta (Maxim.& Rupr.) Maxim.

형태 낙엽 활엽 덩굴성 | 개화기 5~6월(결실기 : 9월) | 분포 중부지방 산지

산에서 자생하는 덩굴성 식물로, 소지에 연한 갈색 털이 있고, 골속은 갈색이며 계단 모양이다. 잎은 어긋나고 달걀 모양의 긴 타원형이며 맥 위에 연한 갈색 털이 있고 가장자리에 불규칙한 바늘 모양의 톱니가 있으며, 수나무 잎의 상반부가 흰색 또는 연한 붉은색으로 변하는 것이 많다. 꽃은 암수딴그루로 흰색이다. 열매는 긴 달걀형 또는 타원형으로 노란색이다.

열매는 익으면 먹을 수 있고, 자양 성분이 많아 한방에서 약재로 쓰인다.

개다래(개다래나무)

062

| 다래나무과 |

Actinidia polygama (Siebold & Zucc.) Planch. ex Maxim.

형태 낙엽 활엽 덩굴성 | **개화기** 5~7월(결실기 : 9~10월) | **분포** 전국 산지

산에서 자생하는 덩굴성 식물로 길이는 5m이고, 가지는 간혹 가시 같이 굳센 털이 있고, 골속은 흰색으로 차 있다. 잎은 어긋나고 막질이며 넓은 달걀형 또는 난상 타원형의 형태로 표면 상반부에 때로는 전체가 흰색으로 되는 수도 있고 가장자리에 잔톱니가 있다. 꽃은 흰색으로 향기가 있고, 씨방에 털이 없다. 열매는 달걀 모양의 타원형으로 끝이 뾰족하고 노란색이다.

열매는 먹을 수 있으나 달지 않고, 한방에서 약으로 쓰이며, 목재는 공예재료로 사용한다.

063 | 차나무과 | 동백나무(동백)

Camellia japonica L.

형태 상록 활엽 소교목 | 개화기 1~3월(결실기 : 9~10월) | 분포 남해안, 제주도 산야

산에서 자생하는 나무로 높이는 7m이고, 수피는 회갈색이며 평활하고 소지가 갈색이다. 잎은 어긋나고 타원형 또는 긴 타원형이며 점첨두, 넓은 예형의 형태로 가장자리에 물결 모양의 잔톱니가 있다. 꽃은 잎겨드랑이 또는 가지 끝에 1개씩 달리고 붉은색이다. 열매는 삭과로 둥글다.

비슷한 식물로 흰색 꽃이 피는 흰동백(*C. japonica* f. *albipetala*), 어린가지와 잎 뒷면 맥 위 및 자방에 털이 있는 애기동백(*C. sasanqua*)이 있다.

사스레피나무(무치러기나무)

064
| 차나무과 |

Eurya japonica Thunb.

형태 상록 활엽 관목 | **개화기** 4월(결실기 : 8~10월) | **분포** 남부지방, 울릉도

산에서 자생하는 나무로 높이는 1m이다. 잎은 어긋나고 굵으며 타원형으로 예두 또는 둔두, 예저의 형태이고 가장자리에 위로 향한 둔한 톱니가 있고 뒷면은 황록색으로 측맥이 뚜렷하다. 꽃은 암수딴그루로 1~2개씩 달려 연한 황록색으로 핀다. 열매는 보랏빛이 나는 검은색이다.

정원수나 꽃꽂이용, 세공재, 염료 등으로 사용한다. 비슷한 식물로 잎에 톱니가 없는 섬사스레피나무(*E. japonica* f. *integra*)가 있다.

065 노각나무(노가지나무)

| 차나무과 |

Stewartia pseudocamellia Maxim.

형태 낙엽 활엽 교목 | 개화기 6~8월(결실기 : 9~10월) | 분포 경남 이남 및 소백산

산에서 자생하는 나무로 높이는 7~15m이고, 수피는 검은 적갈색으로 벗겨져 매끈해진다. 잎은 어긋나고 타원형 또는 넓은 타원형, 예두, 원저 또는 넓은 예형이며 가장자리에 물결 모양의 톱니가 있고 뒷면에 잔털이 있다. 꽃은 암수한꽃으로 흰색으로 달린다. 열매는 암술대와 더불어 견모가 발달한다.

우리나라 특산식물로 내음성 및 내한성이 강하여 나무그늘 밑이나 해변가에서 잘 자라며, 건축재나 기구재, 정원수로 사용한다.

히어리(송광납판화)

066

| 조록나무과 |

Corylopsis gotoana var. *coreana* (Uyeki) T.Yamaz.

형태 낙엽 활엽 관목 | **개화기** 3~4월(결실기 : 9월) | **분포** 경기도, 전남의 산지

산에서 자생하는 나무로 높이는 1~2m이고, 소지는 황갈색 또는 암갈색이며, 이년지는 회갈색이다. 잎은 어긋나고 난상 원형으로 단첨두 심장저의 형태로 가장자리에 뾰족한 톱니가 있고 뒷면은 회백색이다. 꽃은 밝은 노란색으로 총상꽃차례에 달려 늘어진다. 열매는 삭과로 2실, 2개로 갈라지고 씨는 검은색이다.

우리나라 특산식물, 희귀식물로 지리산 지역의 방언에서 유래되었다. 관상수나 녹음수, 연료로 사용하기도 한다.

067 | 범의귀과 |

물참대(댕강말발도리)

Deutzia glabrata Kom.

형태 낙엽 활엽 관목 | 개화기 5~6월(결실기 : 9~10월) | 분포 전국 산지

산에서 자생하는 나무로 높이는 2m이고, 수피는 회색 또는 흑회색이며 불규칙하게 벗겨진다. 잎은 마주나고 피침형 또는 긴 타원형으로 점첨두 예저이며 가장자리에 잔톱니가 있고 뒷면은 연한 녹색으로 털이 없다. 꽃은 산방꽃차례로 달리고 털이 없다. 열매는 삭과이다.

매화말발도리(삼지말발도리)

068

| 범의귀과 |

Deutzia uniflora Shirai

형태 낙엽 활엽 관목 | **개화기** 4~6월(결실기 : 10월) | **분포** 황해도, 강원도 이남 산지

산에서 자생하는 나무로 높이는 1m이고, 수피는 회색이며 불규칙하게 벗겨지고, 어린가지에 별 모양 털이 밀생한다. 잎은 긴 타원형 또는 넓은 피침형으로 점첨두, 넓은 예저이며 가장자리에 불규칙한 잔톱니가 있고 양면에 별 모양의 털이 있다. 꽃은 전년도 가지의 측면에서 1~3개씩 단일꽃차례로 피며 흰색이고, 수술대 양쪽에 날개가 있다. 열매는 삭과로 종형이다.

비슷한 식물로 수술대에 날개가 없는 말발도리(*D. parviflora*)가 있다. 꽃이 아름다워서 관상용으로 사용한다.

069 | 범의귀과 | 산수국(털수국)

Hydrangea serrata f. *acuminata* (Siebold & Zucc.) E.H.Wilson

형태 낙엽 활엽 관목 | 개화기 7~8월(결실기 : 9~10월) | 분포 중부 이남의 산지

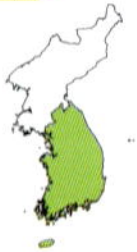

산에서 자생하는 나무로 높이는 1m이고, 소지에 잔털이 있다. 잎은 마주나고 타원형으로 끝이 꼬리처럼 긴 예첨두, 원저 또는 예저이며, 예리한 톱니가 있고, 표면의 측맥과 뒷면의 맥 위에 털이 존재한다. 꽃은 가지 끝에 큰 산방꽃차례로 달리고 꽃받침잎이 꽃잎 같아 보인다. 열매는 삭과로 달걀형 또는 긴 타원형이며, 씨는 긴 타원형으로 짧은 날개가 발달한다.

비슷한 식물로 잎에 털이 없고, 윤채가 있으며 꽃이 무성화인 수국(*H. macrophylla*)이 있다. 관상용으로 많이 심는다.

고광나무(오이순)

070 | 범의귀과 |

Philadelphus schrenkii Rupr.

형태 낙엽 활엽 관목 | **개화기** 6~7월(결실기 : 9~10월) | **분포** 전국 산지

산에서 자생하는 나무로 높이는 2~4m이고, 수피는 회색으로 껍질이 벗겨지며, 소지가 갈색이다. 잎은 마주나고 달걀형으로 뒷면 맥 위에 잔털이 있다. 꽃은 정생 또는 액생하는 총상꽃차례에 5~7개씩 달리며 흰색의 꽃이 핀다. 열매는 삭과로 타원형이고 끝이 뾰족하고 중앙 윗부분에 꽃받침이 달려 있다.

우리나라 특산식물이며, 비슷한 식물로 껍질이 벗겨지지 않고, 뒷면이 백록색으로 거세고 꼬부라진 털이 밀생하는 털고광나무(*P. schrenkii* var. *jackii*)가 있다.

071 | 범의귀과 |

까마귀밥나무(까마귀밥여름나무)

Ribes fasciculatum var. *chinense* Maxim.

형태 낙엽 활엽 관목 | 개화기 4~5월(결실기 : 10월) | 분포 평남, 강원도 이남의 산지

산에서 자생하는 나무로 높이는 1~1.5m이고, 수피는 검은 홍자색 또는 녹색이고, 가시가 없다. 잎은 어긋나고 둥글며 3~5개로 갈라지고 둔두, 심저 또는 절저이며 가장자리에 둔한 톱니가 있고 뒷면은 연한 녹색이다. 꽃은 암수딴그루로 잎겨드랑이에 여러 개가 달리고, 수꽃과 암꽃이 노란색이다. 열매는 둥근 모양으로 붉은색이고 과육은 쓴맛이 나며 씨는 연한 노란색이다.

원래는 까마귀밥여름나무라고 하였는데, 이름이 길어서 까마귀밥나무로 부른다. 어린 잎은 나물로 먹고, 약재나 관상용으로 사용한다.

까치밥나무

072

| 범의귀과 |

Ribes mandshuricum (Maxim.) Kom.

형태 낙엽 활엽 관목 | 개화기 4~5월(결실기 : 9~10월) | 분포 강원도 이북, 지리산

산에서 자생하는 나무로 높이는 2m이다. 잎은 둥글고 3~5개로 갈라지며 예두, 심장저로 가장자리에 복거치가 있고 표면은 녹색으로 잔털이 산생하며 뒷면에 융모가 발달한다. 꽃은 암수한꽃으로 총상꽃차례에 달리며 털이 밀생하고, 꽃받침잎이 뒤로 젖혀진다. 열매는 둥글고 털이 없으며 붉은색으로 먹을 수 있다.

비슷한 식물로 잎 뒷면의 맥 위에만 털이 있으며 꽃차례에는 털이 적은 개앵도나무(*R. mandshuricum* f. *subglabrum*)가 있다.

073 | 장미과 |

산사나무(아가위나무)

Crataegus pinnatifida Bunge

형태 낙엽 활엽 교목 | 개화기 4~5월(결실기 : 9~10월) | 분포 전국 산야

산에서 자생하는 나무로 높이는 6m이고, 수피는 대부분 회색을 띠며 가시가 있다. 잎은 어긋나고 넓은 달걀형으로 깃털 모양으로 깊게 갈라지며 양면의 중앙맥과 옆맥에 털이 발달한다. 꽃은 잎이 핀 다음에 흰색 또는 연한 붉은색으로 산방꽃차례에 달리고, 꽃밥이 붉은색이다. 열매는 이과로 둥글고 붉은색 바탕에 흰색 반점이 있다.

열매를 산사자라고 하여 약으로 쓰고, 주류의 원료로 사용하며, 밀원식물이고, 정원수나 목공예품으로 사용한다.

아그배나무(시볼드아그배나무)

| 장미과 | 074

Malus toringo (Siebold) Siebold ex de Vriese

형태 낙엽 활엽 관목 또는 소교목 | **개화기** 5월(결실기 : 9~10월) | **분포** 전국 산야

산에서 자생하는 나무로 높이는 2~10m이고, 수피가 보랏빛의 갈색이다. 잎은 어긋나고 타원형으로 가장자리에 예리한 톱니가 있고 양면에 털이 있다. 꽃은 연한 붉은색이지만 점차 흰색으로 되고 산형꽃차례에 4~5개씩 달린다. 열매는 둥글고 붉은색 또는 노란빛을 띤 붉은색이며 씨는 타원형이다.

비슷한 식물로 잎이 갈라지지 않는 개아그배나무(*M. micromalus*)가 있다. 꽃과 열매가 아름다워 정원수로 사용하며 사과나무 증식시 대목으로 사용한다.

075 | 장미과 | 윤노리나무(꼭지윤노리)

Pourthiaea villosa (Thunb.) Decne.

형태 낙엽 활엽 관목 | 개화기 4~5월(결실기 : 8~9월) | 분포 남부지방, 울릉도 산지

산에서 자생하는 나무로 높이는 5m이고, 어린가지와 잎자루에 흰색 털이 있다. 잎은 어긋나고 거꿀달걀형으로 점첨두, 예저이며 양면에 털이 있으나 점차 사라지고 잎자루에 털이 있다. 꽃은 산방꽃차례에 달리며 흰색으로 피고 흰색 털이 밀생한다. 열매는 타원형이고 붉은색이다.

비슷한 식물로 잎이 두껍고 엽병이 짧으며 꽃차례와 열매가 큰 떡윤노리나무(*P. villosa* var. *brunnea*)가 있고, 관상용으로 쓰인다.

개벚지나무

076

| 장미과 |

Prunus maackii Rupr.

형태 낙엽 활엽 교목 | **개화기** 5~6월(결실기 : 6~8월) | **분포** 중부 이북 산지

주로 백두대간에서 자생하는 나무로 높이가 15m이고, 수피는 노란빛을 띤 갈색이며, 윤채가 있고 옆으로 벗겨지며, 소지는 갈색이다. 잎은 어긋나고 타원형으로 뒷면은 선점이 밀생한다. 꽃은 잎보다 먼저 피며 흰색이고, 총상꽃차례에 달리며, 꽃받침열편 겉에 털과 선점이 있다. 열매는 둥글고 검은색으로 성숙하면 매우 떫다.

077 | 장미과 | 귀룽나무(귀롱나무)

Prunus padus L.

형태 낙엽 활엽 교목 | 개화기 4~5월(결실기 : 8~9월) | 분포 전국 산지

산에서 자생하는 나무로 높이는 15m이고, 수피는 흑갈색이며 세로로 벌어지고, 어린가지를 꺾으면 냄새가 난다. 잎은 어긋나고 거꿀달걀상 타원형으로 첨두, 원저이며 가장자리에 잔톱니가 있고 뒷면 맥겨드랑이에 털이 있다. 꽃은 총상꽃차례가 새가지 끝에서 처지며 흰색으로 피고, 꽃차례 밑부분에 잎이 있다. 열매는 핵과로 둥글고 씨에 주름이 있고 검은색이다.

비슷한 식물로 소지, 소화경에 털이 있고, 잎 뒷면에 갈색 털이 밀생하는 흰털귀룽나무(*P. padus* var. *pubescens*), 잎 뒷면이 회백색인 흰귀룽나무(*P. padus* f. *glauca*)가 있다.

올벚나무(발강올벚나무)

078

| 장미과 |

Prunus pendula f. *ascendens* (Makino) Ohwi

형태 낙엽 활엽 교목 | 개화기 4월(결실기 : 7~9월) | 분포 황해도 이남의 산지

산에서 자생하는 나무로 높이는 10m이고 지름은 1m이며, 수피는 회갈색이다. 잎은 어긋나고 넓은 피침형으로 점첨두, 예저이며 가장자리에 예리한 톱니 또는 이중거치가 있고 양면 또는 뒷면 맥 위에 털이 있다. 꽃은 잎보다 먼저 피며 연한 붉은색으로 산형꽃차례에 2~5개의 꽃이 달리고, 꽃받침통이 항아리처럼 둥글다. 열매는 핵과로 둥글고 검붉은색이다.

꽃이 일찍 피는 나무라 하여 올벚나무라 하며, 기본종은 가지가 밑으로 처진다. 정원수나 공원수로 많이 심는다.

079 | 장미과

산벚나무(사젠트벚나무)

Prunus sargentii Rehder

형태 낙엽 활엽 교목 | 개화기 4~5월(결실기 : 6~8월) | 분포 백두대간

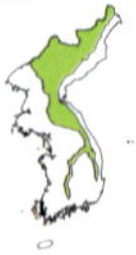

백두대간을 중심으로 자생하는 나무로 높이는 20m이고 지름은 90cm이며, 수피는 암자갈색이고 피목이 옆으로 길게 발달한다. 잎은 어긋나고 타원형으로 점첨두 아심장저이며 가장자리에 톱니가 발달하고 표면이 진한 녹색으로 털이 없다. 꽃은 연홍색 또는 흰색으로 피며, 꽃자루가 없는 작은꽃자루에 2~3개가 산형으로 달린다. 열매는 핵과로 둥글며 검보라색이다.

열매는 먹을 수 있고, 관상용으로 사용되며 비슷한 식물로 꽃이 잎과 같이 피고, 잎 뒷면이 회녹색인 벚나무(*P. serrulata* var. *spontanea*)가 있다.

벚나무(벚나무)

080
| 장미과 |

Prunus serrulata var. *spontanea* (Maxim.) E.H.Wilson

형태 낙엽 활엽 교목 | **개화기** 4~5월(결실기 : 6~8월) | **분포** 전국 산지(함남북 제외)

산에서 자생하는 나무로 높이는 10~20m이고, 수피는 암갈색이며 옆으로 벗겨진다. 잎은 어긋나고 달걀 모양으로 원저 또는 넓은 예저이며 가장자리에 잔톱니 또는 이중거치가 있다. 꽃은 연한 홍색 또는 거의 흰색으로 산방꽃차례에 2~5개씩 달리고 화축에 포가 있다. 열매는 핵과로 둥글며 검붉은색이다.

비슷한 식물로 잎과 꽃차례에 털이 있는 잔털벚나무(*P. serrulata* var. *pubescens*)가 있다. 꽃이 아름다워 조경수나 정원수에 사용되고, 열매를 식용하기도 한다.

081 | 장미과 | 왕벚나무(민벚나무)

Prunus yedoensis Matsum.

형태 낙엽 활엽 교목 | 개화기 4월(결실기 : 6~7월) | 분포 제주도

제주도에서 자생하는 나무로 높이는 15m이고, 수피는 평활하며 회갈색이고 어린가지에 잔털이 약간 있다. 잎은 어긋나고 타원의 달걀형으로 가장자리에 예리한 이중거치가 발달하며 뒷면 맥 위와 잎자루에 털이 있다. 꽃은 잎보다 먼저 피며 흰색 또는 붉은색이고, 암술대에 털이 있으며, 짧은 산방꽃차례에 3~6개씩 달린다. 열매는 핵과로 둥글며 검은색이다.

우리나라에서 희귀식물로 꽃이 크거나 아름답다 하여 왕벚나무라 한다. 현재는 제주도와 대둔산에 있는 것을 자생이라 하며, 관상용으로 식재한다.

산돌배(산돌배나무)

082

| 장미과 |

Pyrus ussuriensis Maxim.

형태 낙엽 활엽 교목 | **개화기** 5월(결실기 : 8~10월) | **분포** 전국 산야

산에서 자생하는 나무로 높이는 10m이고, 수피는 검은 갈색으로 잘게 갈라지며 소지는 갈색이고 털이 없다. 잎은 어긋나고 난상 원형으로 원저이며 가장자리에 침상의 톱니가 있고 양면에 털이 없다. 꽃은 5~7개씩 산방꽃차례에 달리며, 소화경에 털이 없고, 화관은 흰색으로 피며, 암술대 밑부분에 털이 있다. 열매는 둥글고 노란색이다.

비슷한 식물로 잎 뒷면에 잔털이 있는 털산돌배(*P. ussuriensis* var. *pubescens*), 꽃이 큰 문배(*P. ussuriensis* var. *seoulensis*)가 있다.

083 생열귀나무(붉은인가목)

| 장미과 |

Rosa davurica Pall.

형태 낙엽 활엽 관목 | 개화기 5월(결실기 : 8월) | 분포 강원도 이북 산지

산에서 자생하는 나무로 높이는 1~1.5m이고, 수피는 적갈색이며 털이 없고 가지가 많이 갈라지며 탁엽 밑에 가시가 있다. 잎은 어긋나고 5~9개의 소엽으로 구성된 깃털형겹잎으로 소엽은 타원형이고, 뒷면에 작은 선점이 밀생한다. 꽃은 양성화로 새가지 끝에 1개 또는 몇 개가 달리며 화경에 선모가 있다. 열매는 둥글고 황홍색이다.

비슷한 식물로 흰 꽃이 피는 흰생열귀나무(*R. davurica* f. *alba*), 열매가 타원형인 긴생열귀나무(*R. davurica* var. *ellipsoidea*)가 있으며, 모두 대청도에서 자란다.

찔레나무(가시나무)

084 | 장미과 |

Rosa multiflora Thunb.

형태 낙엽 활엽 관목 | **개화기** 5월(결실기 : 10월) | **분포** 전국 산지

산에서 자생하는 나무로 높이는 2m이고, 수피는 가지 끝이 밑으로 처지고 어린가지에 털이 있는 것도 있다. 잎은 어긋나고 깃털형겹잎으로 소엽은 5~9개가 있으며 타원형 또는 거꿀달걀형으로 가장자리에 잔톱니가 있고 양 끝이 좁으며 뒷면에 잔털이 있다. 꽃은 원추꽃차례로 흰색 또는 연한 붉은색으로 핀다. 열매는 수과로 둥글고 붉은색, 씨는 흰색으로 털이 있다.

비슷한 식물로 잎과 꽃차례에 선모가 많은 털찔레(*R. multiflora* var. *adenochaeta*)가 있다. 관상용으로 사용하고, 한방에서는 열매를 약재로 사용하기도 한다.

085 | 장미과 |

복분자딸기(곰딸)

Rubus coreanus Miq.

형태 낙엽 활엽 관목 | 개화기 5~6월(결실기 : 7~8월) | 분포 황해도 이남의 산지

산에서 자생하는 나무로 높이는 3m이고, 줄기는 자줏빛이 도는 붉은색이고 흰가루로 덮여 있으며 가시가 있다. 잎은 어긋나고 깃털 형겹잎으로 소엽은 5~7개이며 타원형이고 잎자루에 가시가 있다. 꽃은 연한 붉은색으로 가지 끝의 산방 또는 복산방꽃차례에 달리며 꽃받침잎은 털이 있고 꽃이 지면 뒤로 말린다. 열매는 둥글고 붉은색으로 익으나 나중에 검은색으로 된다.

비슷한 식물로 줄기가 옆으로 벋는 가시복분자(*R. schizostylus*)가 있다. 열매를 먹을 수 있고, 한방에서 약재로 사용한다.

산딸기(나무딸기)

086

| 장미과 |

Rubus crataegifolius Bunge

형태 낙엽 활엽 관목 | **개화기** 5~6월(결실기 : 6~7월) | **분포** 전국 산야

산에서 자생하는 나무로 높이는 2m이고, 줄기는 적갈색으로 뿌리에서 싹이 나와 군집을 형성한다. 잎은 손바닥 모양으로 3~5개로 갈라지며 열편은 달걀형이고 이중거치가 있으며 잎자루에 갈퀴 같은 가시가 있다. 꽃은 양성화로 흰색이며 가지 끝에서 피고 산방상이거나 단립으로 정생 또는 액생한다. 열매는 둥글고 검붉은색이다.

산에서 나는 딸기나무라 하여 산딸기라 부른다. 비슷한 식물로 원줄기에 가시가 없고, 엽병과 잎 뒷면 주맥에 가시가 없는 섬나무딸기(*R. takesimensis*)가 있다.

087 | 장미과 | 줄딸기(덩굴딸기)

Rubus oldhamii Miq.

형태 낙엽 활엽 덩굴성 | 개화기 5월(결실기 : 7~8월) | 분포 전국 산지

산에서 자생하는 덩굴성 식물로 길이는 2m이고, 소지는 털이 없거나 있으며 붉은빛이 돌고 백분으로 덮여 있다. 잎은 어긋나고 깃털형겹잎으로 소엽은 5~9개이며 달걀형이고 이중거치가 있으며 표면에 잔털이 있고 뒷면 맥 위에 털이 있다. 꽃은 새가지 끝에 1개씩 달리며 화경에 가시가 있다. 열매는 둥글며 적색이다.

비슷한 식물로 줄기가 직립하고 꽃자루와 꽃받침에 털이 없는 가시딸기(*R. hongnoensis*)가 있다.

멍석딸기(덤풀딸기)

088

| 장미과 |

Rubus parvifolius L.

형태 낙엽 활엽 관목 | **개화기** 5~6월(결실기 : 7~8월) | **분포** 전국 산지

산에서 자생하고 높이는 30cm 정도이며, 처음에는 곧추서는 듯하지만 옆으로 뻗으며 짧은 가시와 털이 있다. 잎은 어긋나고 3출깃털겹잎으로 소엽은 넓은 난상 원형이고 흔히 3개로 갈라지며 표면에 잔털이 있고 뒷면에 흰색 밀모가 있으며, 잎자루에 털이 있다. 꽃은 연분홍색으로 산방꽃차례, 원추꽃차례 또는 총상꽃차례로 정생하고 화경에 가시와 털이 있다. 열매는 둥글고 붉은색이다.

089 | 장미과 | 곰딸기(붉은가시딸기)

Rubus phoenicolasius Maxim.

형태 낙엽 활엽 관목 | 개화기 5~6월(결실기 : 7~8월) | 분포 전국 산지(평북 제외)

산에서 자생하는 나무로 길이는 3m이고, 줄기는 적자색이며 가시가 드문드문 있고 적색 선모가 밀생한다. 잎은 어긋나고 깃털형겹잎으로 소엽은 3~5개이며 넓은 달걀형으로 표면에 부드러운 털이 있고 뒷면에 흰색 밀모가 있으며, 잎자루에서 털이 밀생한다. 꽃은 새가지 끝의 총상꽃차례에 달리고 꽃자루에서 털이 밀생한다. 열매는 둥글며 붉은색이다.

줄기에 붉은 가시가 있다 하여 붉은가시딸기라고 부른다. 비슷한 식물로 잎 표면에 털, 엽병에 녹색 자모가 산포하는 멍석딸기(*R. parvifolius*)가 있다.

쉬땅나무(개쉬땅나무)

090

| 장미과 |

Sorbaria sorbifolia var. *stellipila* Maxim.

형태 낙엽 활엽 관목 | **개화기** 6~7월(결실기 : 7월) | **분포** 백두대간

백두대간을 중심으로 자생하는 나무로 높이는 2m이고, 뿌리가 지하경처럼 뻗으며 많은 줄기가 한군데에서 모여 나고 털이 없거나 성모가 존재한다. 잎은 어긋나고 깃털형겹잎으로 소엽은 13~23개이고 뒷면에 별 모양의 털과 잎자루에 털이 존재한다. 꽃은 가지 끝의 복총상꽃차례에 많은 꽃이 달리며 꽃차례는 화경과 더불어 털이 있다. 열매는 5개의 골돌로 유두상의 털이 밀생한다.

꽃차례가 수수이삭 같기 때문에 쉬땅나무라고 한다. 비슷한 식물로 꽃이 필 때 뒷면에 털이 없는 청쉬땅나무(*S. sorbifolia* f. *incerta*)가 있다.

091 팥배나무(왕팥배나무)

| 장미과 |

Sorbus alnifolia (Siebold & Zucc.) K.Koch

형태 낙엽 활엽 교목 | 개화기 5~6월(결실기 : 9~10월) | 분포 전국 산지

산에서 자생하는 나무로 높이는 15m이고, 수피는 회갈색이며 소지에 피목이 뚜렷하다. 잎은 어긋나고 타원상 달걀형으로 가장자리에 불규칙한 이중거치가 있고, 잎자루에 털이 있으나 점차 없어진다. 꽃은 산방꽃차례가 소지에 정생하고 6~10개의 꽃이 달리며 흰색이다. 열매는 이과로 타원형이고 반점이 뚜렷하며 황적색이다.

열매가 팥처럼 생긴 배나무라는 뜻으로 팥배나무라 한다. 잎과 열매가 예뻐서 관상용으로 쓰이고, 열매를 약으로 사용한다.

마가목(은빛마가목)

092

| 장미과 |

Sorbus commixta Hedlund

형태 낙엽 활엽 소교목 | **개화기** 5~6월(결실기 : 9~10월) | **분포** 강원도, 남부지방

산에서 자생하는 나무로 높이는 6~8m이고, 수피는 황갈색이며, 소지와 동아에 털이 없다. 잎은 어긋나고 깃털형겹잎으로 소엽은 9~13개이며 피침형으로 가장자리에 길고 뾰족한 이중거치 또는 단거치가 발달한다. 꽃은 복산방꽃차례로 털이 없으며 가지 끝에 달리고 흰색으로 핀다. 열매는 이과로 둥글고 붉은색이다.

비슷한 식물로 겨울눈과 잔가지에 잔털이 있고 잎에 윤채가 있는 산마가목(*S. sambucifolia* var. *pseudogracilis*)이 있다.

093 산조팝나무(개조팝나무)

| 장미과 |

Spiraea blumei G.Don

형태 낙엽 활엽 관목 | 개화기 5월(결실기 : 10월) | 분포 황해도 이남 산지

산에서 자생하는 나무로 높이는 1m이고, 가지에 털이 없으며 전년지는 적갈색이다. 잎은 어긋나고 달걀형으로 상반부에 얕은 결각이 있고 양면에 털이 없으며, 잎맥이 돌출한다. 꽃은 흰색이며 산형꽃차례에 15~20개씩 달리고 소화경은 털이 없다. 열매는 골돌로 복면이 돌출하고 암술대가 배면 선단에 달린다.

비슷한 식물로 잎이 긴 타원형이고 톱니가 물결형이며, 꽃잎이 항상 원두인 긴잎산조팝나무(*S. pseudocrenata*)가 있다.

조팝나무(홑조팝나무)

094

| 장미과 |

Spiraea prunifolia f. *simpliciflora* Nakai

형태 낙엽 활엽 관목 | 개화기 4~5월(결실기 : 8~10월) | 분포 전국 산야

산에서 자생하는 나무로 높이는 1.5~2m이고, 줄기는 밤색이며, 능선이 있고 윤채가 난다. 잎은 어긋나고 달걀형에서 긴 타원형으로 첨두, 예저이며 가장자리에 잔톱니가 발달하고 양면에 털이 없다. 꽃은 전년지의 가지에서 산형꽃차례가 나오며 흰꽃이 피고, 암술대는 수술보다 짧다. 열매는 골돌로 털이 없다.

꽃 핀 모양이 튀긴 좁쌀을 붙인 것처럼 보여 조팝나무라고 한다. 비슷한 식물로 잎이 좁은 피침형인 가는잎조팝나무(*S. thunbergii*)가 있다.

095 | 장미과 | 아구장나무(아구장조팝나무)

Spiraea pubescens Turcz.

형태 낙엽 활엽 관목 | 개화기 5월(결실기 : 8월) | 분포 전국 산지

산에서 자생하는 나무로 높이는 2m이고, 가지는 회갈색 또는 황갈색이고 소지에는 털이 있다. 잎은 어긋나고 타원형으로 상반부에 톱니가 있고 간혹 3개로 갈라지는 것도 있으며 표면에 잔털이 있거나 없고 뒷면은 황갈색 털이 많거나 없다. 꽃은 양성화로 새가지 끝에 15~20개씩 산형꽃차례에 흰색으로 달리며 꽃차례에 털이 없다. 열매는 골돌로서 복봉선을 따라 털이 있고 끝에 돌기가 있다.

비슷한 식물로 열매 뒷면에 오랫동안 긴 털이 남아 있고 골돌에 털이 없는 설악조팝나무(*S. pubescens* var. *lasiocarpa*)가 있다.

꼬리조팝나무(개쥐땅나무)

096

| 장미과 |

Spiraea salicifolia L.

형태 낙엽 활엽 관목 | **개화기** 6~7월(결실기 : 8~9월) | **분포** 경기, 강원도 이북 산지

산에서 자생하는 나무로 높이는 1~1.5m이고, 가지에 능선이 있으며, 털이 있거나 없다. 잎은 가장자리에 잔톱니가 발달하고 뒷면에 잔털이 있다. 꽃은 줄기 끝에서 큰 원추꽃차례가 발달하고, 꽃자루와 작은꽃자루에 많은 털이 발달하며, 수술이 꽃잎보다 길고 수술대에 털이 없다. 열매는 내봉선을 따라 털이 존재하고 갈색으로 매끄럽다.

꽃차례가 꼬리처럼 길다 하여 꼬리조팝나무라 한다. 비슷한 식물로 산형꽃차례이고, 잎자루가 있는 일본조팝나무(*S. japonica*)가 있다.

097 국수나무(거렁방이나무)

| 장미과 |

Stephanandra incisa (Thunb.) Zabel

형태 낙엽 활엽 관목 | 개화기 5~6월(결실기 : 8~9월) | 분포 전국 산지

산에서 자생하는 나무로 높이는 1~2m이고, 가지 끝이 밑으로 처지며 소지는 둥글고 잔털 또는 샘털이 있으며 적갈색이다. 잎은 어긋나고 가장자리에 결각상의 톱니가 발달하지만 전체 잎은 3개로 갈라지며 뒷면 맥 위에 털이 있다. 꽃은 새가지 끝에 원추꽃차례를 이루며 많은 소화가 달린다. 열매는 둥글고 잔털이 있다.

옛날에 아이들이 이 나무의 줄기에서 속을 뽑아 소꿉놀이를 할 때 국수라고 하며 놀았던 것에서 유래하여 국수나무라 한다.

자귀나무

098

| 콩과 |

Albizia julibrissin Durazz.

형태 낙엽 활엽 소교목 | **개화기** 6~7월(결실기 : 9~10월) | **분포** 황해도 이남의 산야

산에서 자생하는 나무지만 흔히 식재하고 있으며 높이는 3~5m이고 지름은 40cm이다. 가지가 드문드문 나와 퍼지고 소지는 털이 없으며 능선이 있다. 잎은 어긋나고 짝수2회 깃털형겹잎이며 소엽은 긴 타원형으로 뒷면 맥 위에 털이 존재한다. 꽃은 양성화로 소지 끝에서 화경이 자라서 15~20개의 꽃이 산형으로 달리고 해질무렵에 활짝 핀다. 열매는 콩깍지같이 길다.

비슷한 식물로 소엽은 10쌍 이상, 원두, 소엽의 크기가 더 크고 수술이 연한 붉은색 또는 흰색이며, 주맥이 다소 중앙에 위치한 왕자귀나무(*A. kalkora*)가 있다.

099 | 콩과 | 족제비싸리

Amorpha fruticosa L.

형태 낙엽 활엽 관목 | 개화기 5~6월(결실기 : 9월) | 분포 전국 산지

산에서 자생하는 나무로 높이는 3m이고, 작은가지에 털이 있으나 점차 없어진다. 잎은 어긋나고 홀수1회 깃털형겹잎으로 소엽은 11~25개씩이며 타원형이고 끝이 둥글지만 중앙맥 끝은 뾰족하고 뒷면에 잔털이 없거나 약간 존재한다. 꽃은 수상꽃차례로 가지 끝에 자줏빛이 도는 하늘색 꽃이 달리며 꽃받침에 선점이 많다. 열매는 신장형으로 겨울 동안에도 달려 있다.

꽃색이 족제비 색깔과 비슷하고 냄새가 난다고 하여 족제비싸리라고 한다.

실거리나무(띄거리나무)

100

| 콩과 |

Caesalpinia decapetala (Roth) Alston

형태 낙엽 활엽 덩굴성 | 개화기 6월(결실기 : 9월) | 분포 전남 및 제주도

남부지방에서 자생하는 덩굴성 나무로 길이는 6~7m이고, 줄기와 가지는 길게 자라 반덩굴성 모양, 꼬부라진 예리한 가시가 전체에 산생한다. 잎은 어긋나고 2회 깃털형겹잎으로 겹잎은 5~10쌍이며 긴 타원형으로 많은 잔점이 있고 예리하고 꼬부라진 가시가 산생한다. 꽃은 좌우대칭으로 달리고 노란색이며 가지 끝에서 총상꽃차례에 달린다. 열매는 긴 타원형이고 딱딱하다.

밑으로 꼬부라진 가시에 실을 걸 수 있다는 뜻으로 실거리나무라고 한다.

101 | 콩과 |

개느삼(개능함)

Echinosophora koreensis (Nakai) Nakai

형태 낙엽 활엽 관목 | 개화기 5월(결실기 : 7월) | 분포 강원도 이북의 산지

산에서 자생하는 나무로 높이는 1m이고, 가지는 털이 있으며 암갈색이다. 잎은 어긋나고 홀수1회 깃털형겹잎으로 소엽은 13~27개이며 타원형으로 뒷면에 흰색 밀모가 있고 작은 잎자루와 화축에 털이 많다. 꽃은 총상꽃차례에 새로 난 가지 끝에서 나와 5~6개의 노란색 꽃이 달리고, 소포는 피침형으로 검은빛이 돌고 털이 있다. 열매는 협과로 겉에 돌기가 많다.

우리나라 특산식물인 동시에 희귀식물로, 느삼(고삼)과 비슷하다는 뜻에서 개느삼이라 한다.

땅비싸리(논싸리)

102

| 콩과 |

Indigofera kirilowii Maxim. ex Palib.

형태 낙엽 활엽 관목 | 개화기 5~6월(결실기 : 10월) | 분포 전국 산지

산에서 자생하는 나무로 높이는 1m이고, 가지에 세로로 된 선상돌기가 있으며, 소지에 줄이 약간 있고 처음에는 잔털이 있으나 점차 없어진다. 잎은 어긋나고 홀수1회 깃털형겹잎으로 소엽은 7~11개이며 굵고 원형, 거꿀달갈형이며 양면에 복면으로 붙어 있는 복모가 있다. 꽃은 총상꽃차례가 잎겨드랑이에 장미색으로 달린다. 열매는 협과로 원주형이다.

비슷한 식물로 잎 뒷면에 털이 전혀 없는 민땅비싸리(*I. koreana*)가 있다.

103 싸리(싸리나무)

| 콩과 |

Lespedeza bicolor Turcz.

형태 낙엽 활엽 관목 | 개화기 7~8월(결실기 : 10월) | 분포 전국 산지

산에서 자생하는 나무로 높이는 3m이고, 소지에 능선이 있으며 암갈색이고 털이 있으나 점차 없어진다. 잎은 3출엽으로 넓은 달걀형이며 잎맥의 연장인 짧은 침상의 돌기가 있고 뒷면에 복모가 있다. 꽃은 총상꽃차례로 잎겨드랑이 또는 가지 끝에 달리며 가지 끝에 원추꽃차례를 형성한다. 열매는 꼬투리가 넓은 타원형으로 끝이 부리처럼 길고, 복모가 약간 존재한다.

비슷한 식물로 잎 뒷면에 털이 많고 회백색인 털싸리(*L. bicolor* var. *sericea*)가 있다.

참싸리(참싸리나무)

| 콩과 | 104

Lespedeza cyrtobotrya Miq.

형태 낙엽 활엽 관목 | 개화기 7~9월(결실기 : 10월) | 분포 전국 산지

산에서 자생하는 나무로 높이는 2m이고, 노목의 가지는 밑으로 처지며 소지에 능선과 더불어 희고 짧은 털이 있다. 잎은 3출엽으로 원형, 타원형이며 끝이 대개 오목형이고 뒷면에 잔털이 있다. 꽃은 꽃차례가 총상이지만 짧기 때문에 두상같이 보이고 잎겨드랑이에서 피기 시작하여 서리가 내리기 직전까지 계속 붉은 보라색으로 핀다. 열매는 협과로 달걀형이고 털이 있다.

비슷한 식물로 잎이 혁질이고 광택이 나며 난상 타원형으로 주로 해안지방에 분포하는 해변싸리(*L. maritima*)가 있다.

105 조록싸리

| 콩과 |

Lespedeza maximowiczii C.K.Schneid.

형태 낙엽 활엽 관목 | 개화기 6~7월(결실기 : 9~10월) | 분포 전국 산지

산에서 자생하는 나무로 높이는 2~3m이고, 수피는 갈색이며 세로로 갈라지고, 소지는 둥글다. 잎은 3출엽으로 달걀 모양의 타원형이며 뒷면에 잎자루와 더불어 견모가 있고 턱잎은 선형이며 뾰족하다. 꽃은 총상꽃차례가 가지 옆에 또는 가지 끝에 달리고 붉은 보라색 꽃이 피기 시작하며 소화경과 화축에 털이 있다. 열매는 넓은 피침형으로 끝이 뾰족하며 복모가 있다.

비슷한 식물로 잎 양 끝이 좁아지고, 잔가지와 꽃차례에 퍼진 털이 있는 털조록싸리(*L. maximowiczii* var. *tomentella*)가 있다.

다릅나무

106

| 콩과 |

Maackia amurensis Rupr. & Maxim.

형태 낙엽 활엽 교목 | **개화기** 7월(결실기 : 9월) | **분포** 전국 산지

산에서 자생하는 나무로 높이는 15m이고, 지름은 1.5m이며, 수피는 흑갈색 또는 황갈색으로 두껍고 평활하다. 잎은 어긋나고 홀수1회 깃털형겹잎으로 소엽은 9~11개이고 타원형으로 양면에 털이 없다. 꽃은 가지 끝에 달리고 총상꽃차례 또는 원추꽃차례로 위를 향해 흰색으로 핀다. 열매는 협과로 넓은 선형이고 털이 없다.

비슷한 식물로 소엽의 길이가 3~6cm로서 9~17개로 많은 솔비나무(*M. fauriei*)가 있다.

107 아까시나무(아카시아)

| 콩과 |

Robinia pseudoacacia L.

형태 낙엽 활엽 교목 | 개화기 5~6월(결실기 : 9월) | 분포 전국 식재

북아메리카 원산의 나무로 많이 식재되며 높이는 25m이고, 수피는 황갈색으로 세로로 갈라지며 턱잎이 변한 가시가 있다. 잎은 어긋나고 홀수1회 깃털형겹잎으로 소엽은 9~19개이며 타원형으로 양면에 털이 없고 뒷면에 털이 약간 있는 것도 있으며 가장자리가 밋밋하다. 꽃은 총상꽃차례가 어린가지의 잎겨드랑이에서 나오고 흰색 꽃이 핀다. 열매는 넓은 선형으로 편평하고 털이 없다.

비슷한 식물로 가지에 털이 있고, 잎 기부에 엽침이 없으며 꽃은 연한 붉은색인 꽃아까시나무(*R. hispida*)가 있다.

회화나무(회나무) | 콩과 | 108

Sophora japonica L.

형태 낙엽 활엽 교목 | 개화기 7~8월(결실기 : 9~10월) | 분포 전국 식재

중국 원산의 나무로 높이는 10~30m이고 지름은 1~2m로, 수피는 회암갈색이며 세로로 갈라진다. 잎은 어긋나고 홀수깃털형겹잎으로 소엽은 7~17개씩 달리며 달걀형이고 흔히 소턱잎이 있으며 뒷면은 회색이고 잔복모가 있으며 잎자루는 짧고 털이 있다. 꽃은 정생하는 원추꽃차례로 많이 붙는다. 열매는 협과로 원통상의 염주 모양이고 황색이다.

회화나무를 학자나무라 하여 심으면 벼슬을 하고 학자가 된다고 하여 집 가까이 많이 식재하였다.

109 | 콩과 | 등(등나무)

Wisteria floribunda (Willd.) DC.

형태 낙엽 활엽 덩굴성 | 개화기 5월(결실기 : 9월) | 분포 전국 식재

전국에 식재된 덩굴성 나무로 길이는 10m이고, 줄기에 갈색 털이 밀생하나 차츰 없어지며 회백색으로 된다. 잎은 어긋나고 홀수1회 깃털형겹잎으로 소엽은 13~19개이며 달걀 모양의 타원형으로 양면에 털이 있거나 점차 사라진다. 꽃은 잎과 같이 피고 총상꽃차례로 달리며, 기판이 연한 자주색, 아랫부분이 황록색, 용골판이 보라색이다. 열매는 꼬투리에 짧은 털이 밀생하고 1월까지 그대로 달려 있다.

비슷한 식물로 흰색 꽃이 피는 흰등(*W. floribunda* f. *alba*)이 있고, 공예용품을 만드는데 많이 이용한다.

예덕나무(꽤잎나무)

110

| 대극과 |

Mallotus japonicus (Thunb.)Muell.Arg.

형태 낙엽 활엽 소교목 | **개화기** 6~7월(결실기 : 8~10월) | **분포** 남부지방의 산지

남부지방에서 자생하는 나무로 높이는 10m이고, 수피는 회백색이다. 잎은 어긋나고 난상 원형으로 점첨두, 넓은 예형, 아심장저이며 가장자리가 밋밋하고 표면은 적색 선모가 있으며 뒷면에 황갈색 선점이 있고 3개로 약간 갈라진다. 꽃은 암수딴그루로 원추꽃차례가 가지 끝에 달린다. 열매는 삭과로 삼각상 원형이고 황갈색 샘과 별 모양의 털이 밀생한다.

잎을 약으로 사용하고, 건축재나 기구재 등으로 사용한다.

111 | 대극과 |

사람주나무(신방나무)

Sapium japonicum (Siebold & Zucc.) Pax & Hoffm.

형태 낙엽 활엽 소교목 | 개화기 4~6월(결실기 : 7~10월) | 분포 황해도, 강원도 이남의 산지

산에서 자생하는 나무로 높이는 6m이고, 수피는 녹회백색으로 오래된 줄기는 얇게 갈라진다. 잎은 어긋나고 타원형, 달걀형 또는 거꿀달걀형의 타원형으로 점두 예형이며 가장자리가 밋밋하고, 잎자루는 길이가 2~3cm이다. 꽃은 암수한그루로 수상의 총상꽃차례가 정생으로 달린다. 열매는 삭과이고 3개로 갈라지며 씨가 3개씩, 청갈색 바탕에 선상의 검은색 반점이 있다.

비슷한 식물로 잎자루가 5~7.6cm로 길고 잎은 사각상 난형이며 끝이 꼬리처럼 길고, 씨가 흰색인 조구나무(*S. sebiferum*)가 있다.

광대싸리(고리비아리)

112

| 대극과 |

Securinega suffruticosa (Pall.) Rehder

형태 낙엽 활엽 관목 | **개화기** 5~6월(결실기 : 7~10월) | **분포** 전국 산지

산에서 자생하는 나무로 간혹 높이가 10m, 지름이 21cm에 달하는 것도 있으며, 수피는 갈색이고 가지 끝이 밑으로 처진다. 잎은 어긋나고 막질로 타원형이고 둔두, 원저이며 양면에 털이 없고 표면은 녹색이며 뒷면은 흰빛이 돈다. 꽃은 암수딴그루로 노랗게 피고, 수꽃과 암꽃은 잎겨드랑이에 모여 난다. 열매는 삭과로 편구형이며 황갈색이다.

이 식물은 콩과인 싸리와는 무관한 대극과의 식물이나 이름 때문에 싸리의 일종으로 오인 받고 있다.

113
| 굴거리나무과 |

굴거리나무(굴거리)

Daphniphyllum macropodum Miq.

형태 상록 활엽 소교목 | 개화기 3~4월(결실기 : 9~11월) | 분포 충남 이남 산지

산에서 자생하는 늘푸른 나무로 높이는 3~10m이고, 줄기는 굵으며 녹색이고 어린 것은 붉은빛이 돌며 털이 없다. 잎은 가지 끝에 모여서 어긋나고 긴 타원형으로 점첨두 예형이며 표면은 녹색, 뒷면은 회백색으로 털이 없다. 꽃은 암수한그루로 녹색이 돌고, 화피가 없으며 총상꽃차례로 잎겨드랑이에 달린다. 열매는 핵과로 긴 타원형이며 암벽색이다.

비슷한 식물로 잎 뒷면이 회녹색이며 잎맥 사이의 거리가 5~8mm인 좀굴거리나무(*D. teijsmanni*)가 있다.

황벽나무(황경나무)

114

| 운향과 |

Phellodendron amurense Rupr.

형태 낙엽 활엽 교목 | **개화기** 6월(결실기 : 7~10월) | **분포** 전국 산야

산에서 자생하는 나무로 높이는 10m이고, 수피는 연한 회색으로 코르크가 발달하여 깊이 갈라지고, 내피는 노란색이다. 잎은 마주나고 홀수1회 깃털형겹잎으로 소엽이 5~13개이며 피침상 달걀형으로 미상 첨두, 원저 또는 예형이며 표면에 윤채가 있고 뒷면에 흰색 털이 약간 있다. 꽃은 암수딴그루로 황록색이며 원추꽃차례에 잔털이 있다. 열매는 핵과로 둥글고 검은색이다.

이 나무의 줄기 안이 황색이기 때문에 황벽나무라고 하며, 비슷한 식물로 잎 뒷면에 털이 있는 털황벽(*P. amurense* f. *molle*)이 있다.

115 초피나무(좀피나무)

| 운향과 |

Zanthoxylum piperitum (L.) DC.

형태 낙엽 활엽 관목 | 개화기 5~6월(결실기 : 9~10월) | 분포 중부 이남의 산지

산에서 자생하며 높이는 3m이고, 어린가지에 털이 있다가 없어지고 가시는 마주난다. 잎은 어긋나고 홀수1회 깃털형겹잎으로 소엽이 9~19개가 있으며 달걀형, 긴 달걀형으로 가장자리에 물결 모양의 톱니가 있고 중앙에 연한 황록색 점이 있다. 꽃은 암수딴그루로 연한 황록색이며 복총상꽃차례에 달린다. 열매는 삭과로 둥글며 선점이 있고, 씨는 검은색이다.

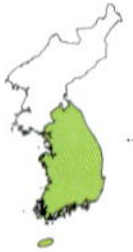

비슷한 식물로 잎에 윤채가 있고, 소엽이 7~13개이며, 잎 크기가 크고, 흔히 엽축과 잎맥에 가시가 있는 왕초피나무(*Z. coreanum*)와 가시가 잎자루 양쪽에 있고, 엽축에 날개가 있으며, 상록성인 개산초(*Z. planispinum*)가 있다.

산초나무(분지나무)

116

| 운향과 |

Zanthoxylum schinifolium Siebold & Zucc.

형태 낙엽 활엽 관목 | **개화기** 8~9월(결실기 : 9~10월) | **분포** 전국 산야

산에서 자생하는 나무로 높이는 3m이고, 가시는 어긋난다. 잎은 1회 깃털형겹잎으로 소엽이 13~21개이며 피침형 또는 타원상 피침형으로 끝이 좁아지면서 오목형이고 밑부분이 예형이며 가장자리에 물결 모양의 잔톱니가 있고 화축에 잔가시가 있다. 꽃은 암수딴그루로 연한 녹색이고 산방꽃차례에 달린다. 열매는 삭과로 녹갈색에서 붉은색으로 익고, 씨는 검은색이다.

117
| 소태나무과 |

가죽나무(가중나무)

Ailanthus altissima (Mill.) Swingle

형태 낙엽 활엽 교목 | 개화기 6월(결실기 : 8월) | 분포 전국 산야

산에서 자생하는 나무로 높이는 20m이고, 수피는 회갈색이며 소지는 황갈색 또는 적갈색이다. 잎은 어긋나고 홀수1회 깃털형겹잎으로 소엽이 13~25개가 있으며 넓은 피침상 달걀형이고 표면에 녹색, 뒷면에 연한 녹색이며 털이 없다. 꽃은 암수딴그루로 녹색 또는 흰색의 꽃이 원추꽃차례로 가지 끝에 달린다. 열매는 시과로 얇은 피침형이며 연한 적갈색으로 봄까지 달려 있다.

가짜 죽나무란 뜻으로 가죽나무라 하며, 비슷한 식물로 잎 표면이 짙은 녹색이고 뒷면은 짙은 회색으로 열매가 붉은빛이 도는 붉은가죽나무(*A. altissima* f. *erythrocarpa*)가 있다.

소태나무(쇠태)

118 | 소태나무과 |

Picrasma quassioides (D.Don) Bennett

형태 낙엽 활엽 교목 | **개화기** 4~5월(결실기 : 8~9월) | **분포** 전국 산야

산에서 자생하는 나무로 높이는 10~12m이고, 수피는 적갈색으로 맛이 쓰며 피목이 황색이다. 잎은 어긋나고 홀수1회 깃털형겹잎으로 소엽이 9~15개이고 달걀형이며 가장자리에 물결 모양의 톱니가 있고 표면에 윤채가 있으며 뒷면 맥 위에 털이 있거나 없다. 꽃은 암수딴그루로 녹색이며 산방꽃차례에 달린다. 열매는 핵과로 난상 원형이고 붉은색이다.

나무껍질에 콰시아(quassia)가 들어 있어 매우 쓴맛이 나기 때문에 소태나무라 한다.

오배자

119 붉나무(오배자나무)

| 옻나무과 |

Rhus javanica L.

형태 낙엽 활엽 소교목 | 개화기 7~9월(결실기 : 8~11월) | 분포 전국 산지

산에서 자생하는 나무로 높이는 7m이고, 작은가지는 노란색이다. 잎은 어긋나고 홀수1회 깃털형겹잎으로 소엽이 7~13개이며, 달걀형으로 가장자리에 톱니가 드문드문 있고 표면에 짧은 털이 있으며 뒷면에 갈색 털이 있고, 엽축에 날개가 있다. 꽃은 암수딴그루로 유백색의 꽃이 원추꽃차례로 가지 끝에 달린다. 열매는 핵과로 편구형이며 짧은 황갈색 털이 밀생하고 주홍색이다.

잎이 붉게 단풍이 든다 하여 붉나무라 하며, 벌레집을 오배자라고 하여 약으로 쓴다.

개옻나무(개옷나무)

120

| 옻나무과 |

Rhus tricocarpa Miq.

형태 낙엽 활엽 소교목 | **개화기** 4~6월(결실기 : 9~11월) | **분포** 전국 산야

산에서 자생하는 나무로 높이는 7m이고, 줄기는 붉은빛이 돌며, 가지를 자르면 유액이 나온다. 잎은 어긋나고 홀수1회 깃털형겹잎으로 소엽이 13~17개이며, 타원형이고 점첨두이며 가장자리가 밋밋한 것과 2~3개의 톱니가 있는 것이 같이 있고 뒷면에 털이 있으며 엽축은 붉은빛이 돈다. 꽃은 암수딴그루로 녹황색이며 원추꽃차례로 잎겨드랑이에 달리고 갈색 털이 밀생한다. 열매는 핵과로 자모가 덮여 있다.

비슷한 식물로 뒷면 맥 위에 털이 있으며 가장자리가 밋밋하고 열매에 털이 없는 산검양옻나무(*R. sylvestris*)가 있다.

121 | 옻나무과 | 옻나무(옷나무)

Rhus verniciflua Stokes

형태 낙엽 활엽 교목 | 개화기 5월(결실기 : 9월) | 분포 전국 산지

산에서 자생했으나 현재 식재되고 있는 나무로 높이는 20m이고, 줄기는 굵으며 노란색이다. 잎은 어긋나고 홀수1회 깃털형겹잎으로 소엽이 9~11개가 있으며 달걀형 또는 타원상 달걀형이고 가장자리가 밋밋하며 표면에 털이 거의 없고 뒷면 맥 위에 퍼진 털이 있다. 꽃은 잡성화이고 황록색의 꽃이 원추꽃차례로 잎겨드랑이에 달린다. 열매는 핵과로 편구형이며 연한 노란색으로 털이 없고 윤채가 있다.

나무껍질에서 나오는 진을 옻이라 하며, 공업용이나 식용으로 사용한다. 비슷한 식물로 잎과 열매에 털이 없는 검양옻나무(*R. succedanea*)가 있다.

청시닥나무(푸른시닥나무)

122

| 단풍나무과 |

Acer barbinerve Maxim.

형태 낙엽 활엽 소교목 | 개화기 6월(결실기 : 9~10월) | 분포 전국 깊은 산

산에서 자생하는 나무로 높이는 7m이고, 수피는 녹색을 띠거나 회갈색으로 평활하며, 어린가지는 누른빛이 돌지만 간혹 붉은색이고 털이 있다. 잎은 마주나고 넓은 달걀형으로 5개로 갈라지며 가장자리에 복거치가 있고 표면에 털이 거의 없다. 꽃은 암수딴그루이고 총상꽃차례로 가지 끝에 4~7개씩 달리며 노란 단풍이다. 열매는 시과로 주름살이 많고 날개는 피침형이다.

비슷한 식물인 시닥나무(*A. komarovii*)는 꽃차례가 보다 깊게 발달한다.

123
| 단풍나무과 |

시닥나무(시당나무)

Acer komarovii Pojark.

형태 낙엽 활엽 소교목 | 개화기 5~6월(결실기 : 9~10월) | 분포 전국 산지

산에서 자생하는 나무로 높이는 약 5m이고, 수피는 회색이며, 어린가지가 자주색이고 점차 회색으로 변한다. 잎은 마주나고 3~5개로 갈라지며 열편은 달걀형, 점첨두, 아심장저이고 가장자리에 이빨 모양 또는 물결 모양의 톱니가 있으며 뒷면 맥 위에 갈색 털이 밀생한다. 꽃은 암수한그루이고 총상꽃차례로 가지 끝에 달리며 털이 없다. 열매는 시과로 털이 없고 황갈색이다.

정원수로 심으며 공업용 목재로 사용한다.

단풍나무(내장단풍)

124

| 단풍나무과 |

Acer palmatum Thunb.

형태 낙엽 활엽 교목 | 개화기 5월(결실기 : 10월) | 분포 내장산 이남 산야

산에서 자생하는 나무로 높이는 15m이고, 수피에 털이 없으며 적갈색이다. 잎은 마주나고 원형에 가깝지만 5~7(9)갈래, 열편은 넓은 피침형, 점첨두로 복거치가 있고 뒷면에 털이 있으나 점차 없어진다. 꽃은 잡성 또는 암수한그루이고 산방꽃차례에 달린다. 열매는 시과로 털이 없고 날개는 긴 타원형으로 예각 또는 둔각으로 벌어진다.

관상수나 공원수로 심으며, 분재용으로 사용된다.

125 고로쇠나무

| 단풍나무과 |

Acer pictum subsp. *mono* (Maxim.) Ohashi

형태 낙엽 활엽 교목 | 개화기 5월(결실기 : 9~10월) | 분포 전국 산지

산에서 자생하며 높이는 20m 내외이고, 수피는 회청색이며 평활하나 점차 세로로 갈라지고, 어린가지는 회황색이다. 잎은 마주나고 달걀형으로, 열편은 달걀형이며 가장자리에 톱니가 없고 뒷면 맥겨드랑이에 흰털이 있다. 꽃은 암수한꽃, 암수한그루이고 연한 황록색의 취산상 원추꽃차례가 새가지 끝에 달린다. 열매는 시과로 예각이다.

고로쇠는 뼈에 이롭다는 뜻이며, 수액을 채취하여 약수로 사용한다. 비슷한 식물로는 열매가 예각으로 벌어지는 집께고로쇠(*A. mono* f. *connivens*), 잎자루가 붉은 붉은고로쇠(*A. mono* f. *rubripes*)가 있다.

당단풍(고로실나무)

126

| 단풍나무과 |

Acer pseudosieboldianum (Pax) Kom.

형태 낙엽 활엽 소교목 | **개화기** 5월(결실기 : 9~10월) | **분포** 전국 산지

산에서 자생하는 나무로 높이는 8m이고, 수피는 잿빛이며, 어린가지는 녹색 또는 자녹색으로 흰털이 성글게 있고 묵은가지는 흰가루로 덮인다. 잎은 마주나고 원형이며, 각 열편은 복거치가 있고 뒷면은 잎맥을 따라 연모가 있다. 꽃은 양성화로 정생하는 산방꽃차례에 10~20개의 꽃이 흰색 또는 황백색으로 달린다. 열매는 시과이고 자황색이다.

비슷한 식물로 시과가 거꿀달걀형으로 넓게 벌어지는 넓은고로실나무 (*A. pseudosieboldianum* var. *ambiguum*)가 있다.

127 | 단풍나무과 | 신나무(곽지신나무)

Acer tataricum subsp. *ginnala* (Maxim.) Wesm.

형태 낙엽 활엽 소교목 | 개화기 5월(결실기 : 8~10월) | 분포 전국 산지

산에서 자생하는 나무로 높이는 8m이고, 줄기는 회갈색이거나 홍갈색이다. 잎은 마주나고 난상 타원형으로 꼬리 모양의 예첨두, 원저 또는 아심장저이며 밑에서 3갈래로 갈라지고 가장자리에 불규칙한 결각이 있으며 날카로운 거치가 발달한다. 꽃은 잡성화로 황백색이며 복산방꽃차례로 가지 끝에 달린다. 열매는 시과로 날개는 거의 평행 또는 서로 합쳐진다.

비슷한 식물로는 관상용으로 심으며 잎가장자리가 밋밋하고 잎에 3맥이 발달하여 3개로 얕게 갈라지는 중국단풍(*A. buergerianum*)이 있다.

산겨릅나무(산저릅)

128

| 단풍나무과 |

Acer tegmentosum Maxim.

형태 낙엽 활엽 교목 | 개화기 4~5월(결실기 : 9월) | 분포 중부 이북 깊은 산 계곡

산에서 자생하는 나무로 높이는 15m이고, 수피는 녹색이며 세로의 흰색 줄이 있다. 잎은 마주나고 넓은 달걀형으로 3~5개로 얕게 갈라지며 아랫부분이 5맥으로 갈라지고 가장자리에 잔 이중예거치가 발달하며 양면에 털이 없다. 꽃은 암수한그루 또는 암수딴그루이고 노란색의 꽃이 총상꽃차례에 달린다. 열매는 시과로 둔각 또는 수평으로 벌어진다.

비슷한 식물로 잎에 털이 있고, 잎의 길이에 1/2 이하로 갈라지는 부게꽃나무(*A. ukurunduense*)가 있다.

129
| 단풍나무과 |

복자기(복자기나무)

Acer triflorum Kom.

형태 낙엽 활엽 교목 | 개화기 5월(결실기 : 9~10월) | 분포 전국의 높은 산

산에서 자생하는 나무로 높이는 20m이고, 수피는 암수 모두 회백색이며, 가지에 붉은빛이 돌고, 피목이 흰색이다. 잎은 마주나고 지질이며 소엽이 3개이고 긴 타원상 달걀형으로 끝부분 가까이에 2~4개의 큰 톱니가 있고 가장자리에 털이 있으며 뒷면 맥 위에 강모가 있다. 꽃은 잡성화로 산방꽃차례가 가지 끝에 3개가 달린다. 열매는 시과로 회백색이며 밀강모 또는 바늘 모양의 강모가 있다.

비슷한 식물로 소엽에 톱니가 많고 잎자루에 털이 없으며 열매는 3~5개로 털이 없는 복장나무(*A. mandshuricum*)가 있다.

호랑가시나무(묘아자나무)

130
| 감탕나무과 |

Ilex cornuta Lindl. & Paxton

형태 상록 활엽 관목 | 개화기 4~5월(결실기 : 10~12월) | 분포 남부지방의 산야

남쪽 산에서 자생하는 나무로 높이는 2~3m이고, 줄기에 털이 없다. 잎은 어긋나고 두꺼우며 윤채가 있고 타원상 육각형으로 각점이 가시로 되며 뒷면이 황록색이다. 꽃은 암수딴그루 또는 잡성화이고, 산형꽃차례로 5~6개씩 달린다. 열매는 핵과로 둥글며 붉은색이고, 씨는 황록색으로 종피가 두껍고 굳다.

잎의 가장자리에 생기는 톱니가 예리한 가시로 되어, 호랑이의 발톱을 닮아 붙여진 이름이며, 호랑이등긁기나무라고도 한다.

131
| 감탕나무과 |

감탕나무(떡가지나무)

Ilex integra Thunb.

형태 상록 활엽 소교목 | 개화기 3~4월(결실기 : 8~11월) | 분포 남부지방의 산야

남쪽 산에서 자생하는 나무로 높이는 10m이고, 수피는 회색으로 처음에 평활하나 점차 거칠어지며, 가지가 굵고 갈색이다. 잎은 어긋나고 두꺼우며 타원형, 긴 타원형 또는 긴 타원상 거꿀달걀형으로 가장자리가 밋밋하거나 2~3개의 톱니가 있다. 꽃은 암수딴그루로 황록색의 꽃이 암꽃은 1~2개, 수꽃은 여러 개씩 잎겨드랑이에 달린다. 열매는 둥글며 붉은색이다.

비슷한 식물로 꽃차례가 전년지에서 나오며 잎이 밋밋하고 엽병이 긴 먼나무(*I. rotunda*)가 있다.

노박덩굴(노랑꽃나무)

132
| 노박덩굴과 |

Celastrus orbiculatus Thunb.

형태 낙엽 활엽 덩굴성 | 개화기 5~6월(결실기 : 9~10월) | 분포 전국 산지

산에서 자생하는 덩굴성 나무로 길이는 10m이고, 수피는 갈색 또는 회갈색이며 털이 없다. 잎은 타원형으로 끝이 갑자기 뾰족해지고 밑부분이 둥글며 가장자리에 둔한 톱니가 있다. 꽃은 암수딴그루 또는 잡성화로 황록색이며, 취산꽃차례에 달린다. 열매는 삭과로 구형이고 노란색이며 3개로 갈라지고, 씨는 황적색 종의로 싸여 있다.

비슷한 식물로 가지와 꽃차례, 잎 뒷면에 짧은 털이 있는 털노박덩굴(*C. stephanotiifolius*)이 있다.

133
| 노박덩굴과 |

화살나무(참빗나무)

Euonymus alatus (Thunb.) Siebold

형태 낙엽 활엽 관목 | 개화기 5월(결실기 : 10월) | 분포 전국 산지

산에서 자생하는 나무로 높이는 3m이고, 줄기에 2~4줄의 뚜렷한 코르크질의 날개가 있으며, 가지는 녹색이다. 잎은 마주나고 타원형 또는 거꿀달걀형으로 첨두 예형이며 가장자리에 예리한 잔톱니가 있다. 꽃은 취산꽃차례로 잎겨드랑이에 보통 3개씩 달리고 황록색의 꽃이 핀다. 열매는 붉은색이고 씨는 흰색으로 12월까지 달려 있다.

줄기에 있는 날개가 화살같이 생겼다 하여 붙여진 이름이다. 비슷한 식물로는 가지에 날개가 없는 회잎나무(*E. alatus* f. *ciliatodentatus*)가 있다.

참빗살나무(물뿌리나무)

134
| 노박덩굴과 |

Euonymus hamiltonianus Wall.

형태 낙엽 활엽 소교목 | 개화기 5월(결실기 : 10~11월) | 분포 황해도 이남

산에서 자생하는 나무로 높이는 8m이고, 수피는 회백색으로 평활하다. 잎은 마주나고 피침상 긴 타원형으로 첨두, 원저이며 가장자리에 고르지 않은 둔한 잔톱니가 있다. 꽃은 취산꽃차례로 전년지의 잎겨드랑이에 달리고 연한 녹색으로 피며 4수성이다. 열매는 삭과로 거꾸로 선 삼각 모양의 심장형이고 4개의 능선이 있으며 밑으로 갈수록 좁아지고 붉은색이다.

비슷한 식물로 꽃이 황백색, 꽃밥은 자주색이고 잎자루의 길이가 8~25mm로 넓은 타원형인 좀참빗살나무(*E. bungeana*)가 있다.

135 | 노박덩굴과 |

참회나무(노랑회나무)

Euonymus oxyphyllus Miq.

형태 낙엽 활엽 관목 또는 소교목 | 개화기 5월(결실기 : 9~10월) | 분포 전국 산지

산에서 자생하는 나무로 가지에 털이 없고, 겨울눈의 길이는 5~6mm로 끝이 뾰족하다. 잎은 마주나고 달걀형 또는 거꿀달걀형으로 점첨두 또는 첨두이며 원저 또는 넓은 예형으로 안으로 굽은 톱니의 끝이 뾰족하고 양면에 털이 거의 없다. 꽃은 취산꽃차례로 꽃자루가 길고 잎겨드랑이에 달린다. 열매는 삭과로 밑으로 처지고 둥글며 날개가 없고, 5개로 갈라지며, 붉은색이다.

비슷한 식물로 열매에 날개가 있고, 꽃이 자갈색인 회나무(*E. sachalinensis*)가 있다.

회목나무(개개회나무)

136 | 노박덩굴과 |

Euonymus pauciflorus Maxim.

형태 낙엽 활엽 관목 | 개화기 6~7월(결실기 : 9~10월) | 분포 황해도 이남

산에서 자생하는 나무로 높이는 2m이고, 수피는 녹색이며, 검은 피목이 돌출하고 사마귀 같은 돌기가 있다. 잎은 마주나고 긴 달걀형 또는 달걀 모양의 타원형으로 가장자리에 잔톱니가 있으며 뒷면에 잔털이 산생한다. 꽃은 취산꽃차례로 잎겨드랑이에 적갈색으로 피며 4수성이고 잎 표면의 주맥 위에 달린 것처럼 보인다. 열매는 둥글고 붉은색이며 4개의 능각이 있고, 씨는 검은색이다.

나무껍질에 발달한 섬유가 있고, 관상용으로 사용한다.

137 | 노박덩굴과 |

미역줄나무(메역순나무)

Tripterygium regelii Sprague & Takeda

형태 낙엽 활엽 덩굴성 | 개화기 6~7월(결실기 : 9~10월) | 분포 전국 산지

산에서 자생하는 덩굴성 나무로 길이는 2m이고, 가지는 적갈색으로 사마귀 같은 돌기가 밀생하며, 소지는 5줄의 능선이 있고, 이년지는 흑갈색이다. 잎은 어긋나고 달걀형으로 가장자리에 둔한 톱니가 있으며 뒷면 맥 위에 털이 존재하고, 잎자루는 적갈색이다. 꽃은 원추꽃차례로 가지 끝이나 잎겨드랑이에 달리고 흰색이다. 열매는 시과로 연한 녹색이지만 붉은빛이 돈다.

말오줌때(나도딱총나무)

138

| 고추나무과 |

Euscaphis japonica (Thunb.) Kanitz

형태 낙엽 활엽 소교목 | **개화기** 5월(결실기 : 9~10월) | **분포** 서해안, 남부지방

해안가에서 자생하는 나무로 높이는 5~6m이고, 수피는 녹갈색으로 둥글다. 잎은 마주나고 홀수1회 깃털겹잎으로 소엽은 5~11개이며 달걀형이고 점첨두, 또는 원저이며 예리한 잔톱니가 있고 뒷면 중앙맥 아랫부분에 흰색 털이 있다. 꽃은 원추꽃차례로 가지 끝에서 곧추서며 황록색으로 핀다. 열매는 골돌과로 꼬부라진 타원형이고 붉은색이다.

139 | 고추나무과 |

고추나무(개철초나무)

Staphylea bumalda DC.

형태 낙엽 활엽 관목 또는 소교목 | 개화기 4~6월(결실기 : 8~10월) | 분포 전국 산지

산에서 자생하는 나무로 높이는 3~5m이고, 가지는 둥글며 회녹색이다. 잎은 마주나고 소엽이 3개로, 가운데 소엽은 달걀형으로 양 끝이 좁으며, 가장자리에 바늘 모양의 잔톱니가 있고, 뒷면 맥 위에 털이 있다. 꽃은 원추꽃차례로 가지 끝에 달리며 흰색으로 핀다. 열매는 삭과로 반원형이며 윗부분이 2갈래로 갈라지고, 노란색이다.

잎의 모양이 고추잎과 비슷하다 하여 붙여진 이름이고, 어린순을 나물로 먹는다.

회양목(고양나무)

140

| 회양목과 |

Buxus koreana (Nakai ex Rehder) T.H.Chung & al.

형태 상록 활엽 관목 | 개화기 3~4월(결실기 : 9~10월) | 분포 평남, 함남 이남

산에서 자생하지만 많이 식재되는 나무로 높이는 7m이고, 작은가지는 녹색으로 네모지며 털이 있다. 잎은 두껍고 타원형으로 표면은 중앙맥 하반부에 털이 있으며 뒷면은 가장자리가 뒤로 젖혀진다. 꽃은 암수한그루로 연한 황색의 꽃이 암수로 몇 개씩 한군데에 달린다. 열매는 삭과로 달걀형이며 털이 없고 갈색이다.

비슷한 식물로 잔가지와 잎에 털이 없는 좀회양목(*B. microphylla*)이 있다.

141
| 갈매나무과 |

헛개나무(고려호리깨나무)

Hovenia dulcis Thunb.

형태 낙엽 활엽 교목 | 개화기 7월(결실기 : 10월) | 분포 중부 이남의 높은 산

산에서 자생하는 나무로 높이는 10m이고 지름은 30~40cm로, 수피는 검은 갈색이다. 잎은 어긋나고 넓은 달걀형으로 점첨두, 이그러진 아심장저 또는 원저이며 가장자리에 둔한 톱니가 있고 아랫부분에서 3개의 큰 맥이 발달한다. 꽃은 양성화로 취산꽃차례에 녹색으로 핀다. 열매는 둥글고 갈색이며, 씨는 편평하고 열매자루에 불규칙하게 울툭불툭 살이 찐다.

열매에 단맛이 있어 먹을 수 있고, 음식맛을 한결 돋우는데 사용하며, 술을 부패시키는 작용이 있다고 한다.

갈매나무

142
| 갈매나무과 |

Rhamnus davurica Pall.

형태 낙엽 활엽 소교목 | **개화기** 5월(결실기 : 9~10월) | **분포** 강원도 이북의 산지

산에서 자생하는 나무로 높이는 5m이고, 수피는 암회색으로 무늬가 옆으로 나며, 가지 끝이 가시로 변한다. 잎은 마주나거나 반마주나고 긴 타원형으로 점첨두, 예형이며 가장자리에 둔한 잔톱니가 있고 양면에 털이 없거나 잎맥에 털이 있다. 꽃은 암수딴그루로 황록색의 꽃이 가지 아래 부근의 잎겨드랑이에 1~2개씩 달린다. 열매는 둥글고 검은색이다.

비슷한 식물로 잎이 좁은 타원형이고 양면이 거의 같은 색이며 뒷면의 주맥이 뚜렷하고 씨에 깊은 홈이 있는 참갈매나무(*R. ussuriensis*)가 있다.

143 | 포도과 |

개머루(돌머루)

Ampelopsis brevipedunculata (Maxim.) Trautv.

형태 낙엽 활엽 덩굴성 | 개화기 6월(결실기 : 8~10월) | 분포 전국 산지

산에서 자생하는 덩굴성 식물로 길이는 5m이고, 수피는 갈색으로 마디가 굵으며, 골속이 흰색으로 덩굴손잎과 마주난다. 잎은 어긋나고 둥글며 3~5개로 갈라지고 각 열편에 둔한 이빨 모양의 톱니가 있으며 뒷면 맥 위에 잔털이 있다. 꽃은 암수한꽃으로 취산꽃차례가 잎과 마주나고 차상으로 갈라지며 녹색으로 핀다. 열매는 장과로 원형 또는 편원형이고 남색이다.

머루와 비슷하다 하여 붙여진 이름이며, 비슷한 식물로 잎이 깊게 5개로 갈라지는 가새잎개머루(*A. brevipedunculata* f. *citrulloides*)가 있다.

담쟁이덩굴(담장넝쿨)

| 포도과 | 144

Parthenocissus tricuspidata (Siebold & Zucc.) Planch.

형태 낙엽 활엽 덩굴성 | **개화기** 5월(결실기 : 8~10월) | **분포** 전국 산지

산에서 자생하는 덩굴성 식물로 길이는 10m이고, 줄기는 덩굴손 잎과 마주나며 갈라지고 끝에 둥근 흡착근이 생기며, 가지가 많이 갈라진다. 잎은 어긋나고 넓은 달갈형으로 끝이 3개로 갈라지며 가장자리에 불규칙한 톱니가 있고 뒷면 맥 위에 잔털이 있다. 꽃은 암수한꽃으로 황록색이며 취산꽃차례로 잎겨드랑이나 짧은 가지 끝에서 자란다. 열매는 둥글며 검은색이고 백분으로 덮여 있다.

비슷한 식물로 잎이 5개의 소엽으로 구성된 손바닥 모양의 겹잎인 미국담쟁이덩굴(*P. quinquefolia*)이 있다.

145 | 포도과 | 머루(산머루)

Vitis coignetiae Pulliat ex Planch.

형태 낙엽 활엽 덩굴성 | 개화기 5~7월(결실기 : 9~10월) | 분포 전국 산지

산에서 자생하는 덩굴성 식물로 길이는 10m이고, 소지는 뚜렷하지 않은 능선이 있으며 붉은빛이 돈다. 잎은 심장형 또는 원형이며, 5개로 얕게 갈라지고 심장저이며 작은 삼각형의 톱니가 있고 3개로 얇게 갈라지기도 하며, 어린잎 전체에 붉은 갈색의 털이 있다. 꽃은 황록색으로 원추꽃차례가 잎과 마주 달린다. 열매는 장과로 둥글며 검푸른색이다.

비슷한 식물로 잎 뒷면에 적갈색 털이 없는 왕머루(*V. amurensis*)가 있으며, 열매는 술을 담가 먹거나 식용하기도 하고 약으로 사용한다.

장구밥나무(장구밤나무)

146

| 피나무과 |

Grewia parviflora Bunge

형태 낙엽 활엽 관목 | **개화기** 6~8월(결실기 : 9~10월) | **분포** 서해안

서해안에 자생하며 높이는 2m이고, 수피는 황갈색으로 소지에 융모가 밀생한다. 잎은 어긋나고 달걀형으로 아랫부분에 3개의 큰 맥이 있으며 가장자리에 불규칙한 이중예거치가 얕게 갈라지고 표면이 거칠며 뒷면과 잎자루에 별 모양의 털이 있다. 꽃은 암수한꽃으로 연한 노란색이며, 취산꽃차례 또는 산형꽃차례에 5~8개씩 달린다. 열매는 핵과로 장구통 모양이며 노란색 또는 황적색으로 털이 없다.

비슷한 식물로 제주도에서 자라는 잎이 넓은 피침형 또는 피침상 긴 타원형인 좀장구밥나무(*G. parviflora* f. *angusta*)가 있다.

147
| 피나무과 |

피나무(달피나무)

Tilia amurensis Rupr.

형태 낙엽 활엽 교목 | 개화기 5~7월(결실기 : 8~9월) | 분포 덕유산 이북의 산지

산에서 자생하는 나무로 높이는 20m이고, 수피는 회갈색이다. 잎은 어긋나고 넓은 달걀형으로 급히 길어진 첨두, 심장저이며 가장자리에 예리한 톱니가 있고 뒷면이 회녹색으로 맥겨드랑이에 갈색털이 밀생한다. 꽃은 담황색으로 산방꽃차례에 달리고 수술은 꽃잎보다 길다. 열매는 견과로 원형이며 흰색 또는 갈색 털이 밀생한다.

비슷한 식물로 열매가 넓은 달걀형이며 능선이 있는 연밥피나무(*T. koreana*)가 있다.

찰피나무(금강피나무)

148 | 피나무과 |

Tilia manshurica Rupr. & Maxim.

형태 낙엽 활엽 교목 | 개화기 5~7월(결실기 : 9~10월) | 분포 전국 산지

산에서 자생하는 나무로 높이는 10m이고, 수피는 평활하며 얼룩무늬가 있다. 잎은 어긋나고 난상 원형으로 짧은 점첨두, 심장저이며 표면에 약간의 잔털이 있고, 뒷면에 회색 또는 흰색 별 모양 털이 밀생하며 맥겨드랑이에도 별 모양 털이 있다. 꽃은 연한 노란색으로 취산꽃차례에 달리며 꽃자루에 갈색 털이 밀생한다. 열매는 둥글며 갈색 털이 있다.

비슷한 식물로 열매가 달걀형인 웅기피나무(*T. ovalis*)가 있다. 정원수나 가구재로 사용하며, 나무껍질은 섬유자원으로, 꽃은 약재로 사용한다.

149 팥꽃나무(넓은이팝나무)

| 팥꽃나무과 |

Daphne genkwa Siebold & Zucc.

형태 낙엽 활엽 관목 | 개화기 3~5월(결실기 : 7월) | 분포 서해안

서해안에서 자생하는 나무로 높이는 1m이고, 수피는 자갈색으로 새가지는 가늘며 털로 덮여 있다. 잎은 마주나기 또는 어긋나기이고 피침형, 예두, 예형으로 톱니가 없으며 뒷면 맥 위에 융모가 있다. 꽃은 연한 보랏빛의 붉은색으로 잎보다 먼저 전년지 끝에서 산형으로 달린다. 열매는 장과로 둥글고 흰색이며 투명하고 연한 자줏빛 붉은색이다.

관상용으로 심고 뿌리꽂이와 씨로 번식하고 줄기의 꺾꽂이는 그리 좋지 않으며, 유독식물이나 약재로 사용한다.

보리장나무

150

| 보리수나무과 |

Elaeagnus glabra Thunb.

형태 상록 활엽 덩굴성 | 개화기 10~12월(결실기 : 6~11월) | 분포 전남, 제주도

남부지방에서 자생하는 덩굴성 식물로 길이는 3m이고, 어린가지에 갈색 인모가 있다. 잎은 어긋나고 긴 타원형으로 점첨두 또는 첨두, 예형이며 가장자리에 물결 모양의 톱니가 있고 표면에 갈색 인모가 있으나 점차 없어지며 뒷면에 갈색 인모가 밀생한다. 꽃은 흰색으로 2~3개씩 달려서 밑으로 처진다. 열매는 핵과로 타원형 또는 긴 타원형이고 붉은색이다.

비슷한 식물로 잎이 좁은 피침형이고 양 끝이 좁은 좁은잎보리장나무(*E. glabra* f. *oxyphylla*)가 있다.

151

| 보리수나무과 |

보리수나무(보리똥나무)

Elaeagnus umbellata Thunb.

형태 낙엽 활엽 관목 | 개화기 5~6월(결실기 : 7~9월) | 분포 전국 산야

산에서 자생하는 나무로 높이는 3~4m이고, 수피는 회흑갈색으로 가지에 가시가 있고, 어린가지는 은백색 또는 갈색이다. 잎은 어긋나고 타원형 또는 달걀형의 긴 타원형으로 무딘형 또는 짧은 점첨두, 원저 또는 넓은 예형이며 뒷면에 은백색 인모가 밀생한다. 꽃은 흰색에서 연황색으로 변하고, 산형꽃차례가 새가지의 잎겨드랑이에 달린다. 열매는 둥글고 붉은색이다.

비슷한 식물로 열매의 길이가 1.5cm 내외로 보리수나무 열매보다 크고 더 적게 달리는 뜰보리수(*E. multiflora*)가 있다.

박쥐나무(누른대나무)

152
| 박쥐나무과 |

Alangium platanifolium var. *trilobum* (Miq.) Ohwi

형태 낙엽 활엽 관목 | 개화기 5~6월(결실기 : 8월) | 분포 전국 산야

산에서 자생하는 나무로 높이는 3~4m이고, 수피는 흑자색으로 외피가 흔히 벗겨지며, 작은가지에 털이 있으나 곧 없어진다. 잎은 어긋나고 달걀형으로 3~5개로 갈라지며 아심장저이고 끝이 꼬리처럼 길게 뾰족하며 뒷면에 잔털이 있다. 꽃은 취산꽃차례에 달리고 누른빛이 돌며 꽃이 피면 뒤로 말린다. 열매는 핵과로 난상 원형이며 짙은 파란색이다.

잎의 외형이 박쥐와 비슷하다 하여 붙여진 이름이며, 비슷한 식물로 뒷면과 잎맥에 털이 밀생하고, 열매가 흑자색인 단풍박쥐나무(*A. platanifolium*)가 있다.

153 | 층층나무과 |

층층나무(꺼그렁나무)

Cornus controversa Hemsl. ex Prain

형태 낙엽 활엽 교목 | 개화기 5월(결실기 : 8~10월) | 분포 전국 산지

산에서 자생하는 나무로 높이는 20m이고, 수피는 얕게 세로로 홈이 져서 터지며 수평으로 퍼지고 붉은빛이 돌며 윤채가 나고 피목이 산재한다. 잎은 어긋나고 달걀형으로 급한 점첨두, 원저이며 가장자리가 밋밋하고 표면이 녹색이며 뒷면은 흰색으로 잔털이 밀생한다. 꽃은 산방상꽃차례이고 새가지 끝에 흰색으로 달린다. 열매는 핵과로 검은색이다.

가지가 층층으로 나기 때문에 붙여진 이름이며, 비슷한 식물로 잎이 마주나는 말채나무(*C. walteri*)가 있다.

산딸나무(굳은산딸나무)

154
| 층층나무과 |

Cornus kousa F. Buerger ex Miq.

형태 낙엽 활엽 교목 | **개화기** 6월(결실기 : 9~10월) | **분포** 중부 이남의 산지

산에서 자생하는 나무로 높이는 7~12m이고, 가지는 층을 지어 수평으로 퍼지며, 줄기에 털이 있으나 점차 없어지고 갈색이다. 잎은 마주나고 달걀형으로 점첨두, 예형이며 표면은 녹색이고 잔복모가 약간 있으며 뒷면이 회녹색으로 복모가 밀생하고, 맥겨드랑이에 갈색 밀모가 발달한다. 꽃은 두상으로 모여 달리고 흰색으로 핀다. 열매는 취과로 둥글며 붉은색이다.

열매 모양이 산딸기와 비슷하여 붙여진 이름이며, 비슷한 식물로 반관목이고 꽃차례에 흰 포가 있는 풀산딸나무(*C. canadensis*)가 있다.

155 | 층층나무과 |

산수유(산수유나무)

Cornus officinalis Siebold & Zucc.

형태 낙엽 활엽 소교목 | 개화기 3~4월(결실기 : 8월) | 분포 전국 식재

전국에 식재하는 나무로 높이는 7m이고, 수피는 벗겨지며 연한 갈색으로, 줄기에 짧은 털이 있으나 떨어지고 분녹색이 돈다. 잎은 마주나고 달걀형으로 표면은 녹색이며 복모가 약간 있고 뒷면은 연한 녹색 또는 흰빛이 돌며, 맥겨드랑이에 갈색 밀모가 있다. 꽃은 암수한그루이며 노란색으로 피고, 산형꽃차례에 달린다. 열매는 장과로 긴 타원형이며 광택이 있다.

예로부터 한방에서 열매를 약으로 사용하였고, 차나 술로도 이용하며, 관상용으로 심기도 한다.

말채나무(말채목)

156

| 층층나무과 |

Cornus walteri F.T.Wangerin

형태 낙엽 활엽 교목 | **개화기** 6월(결실기 : 9~10월) | **분포** 중부 이남의 산지

산에서 자생하는 나무로 높이는 10m이고, 수피는 그물처럼 갈라지며 흑갈색이고, 줄기에 털이 있으나 점차 없어진다. 잎은 마주나고 넓은 달걀형 또는 타원형으로 점첨두, 넓은 예형 또는 원저이며 가장자리가 밋밋하고 표면에 복모가 있으며 뒷면은 흰빛이 돌고 거센 복모가 있다. 꽃은 취산꽃차례에 달리며 흰색으로 핀다. 열매는 핵과로 둥글고 검은색이다.

비슷한 식물로 측맥이 6~10쌍으로 더 많은 곰의말채(*C. macrophylla*)가 있다.

157 | 두릅나무과 | 두릅나무(둥근잎두릅)

Aralia elata (Miq.) Seem.

형태 낙엽 활엽 관목 | 개화기 6~8월(결실기 : 9~10월) | 분포 전국 산지

산에서 자생하기도 하고, 식재하는 나무로 높이는 3~4m이고, 가지에 가시 같은 돌기가 발달하며 털이 많고 굳센 가시가 많다. 잎은 어긋나고 홀수2회 깃털형겹잎으로 잎축과 소엽에 가시가 있다. 꽃은 양성 또는 수꽃이 섞여 있고 복총상꽃차례로 달리며 흰색의 꽃이 핀다. 열매는 장과 또는 핵과로 둥글고 검은색이다.

비슷한 식물로 풀이고 가시가 없는 독활(*A. cordata* var. *continentalis*)이 있다.

가시오갈피(가시오갈피나무)

158
| 두릅나무과 |

Eleutherococcus senticosus (Rupr. & Maxim.) Maxim.

형태 낙엽 활엽 관목 | 개화기 7~8월(결실기 : 10월) | 분포 백두대간

**

산에서 자생하는 나무로 높이는 2~3m이고, 줄기가 가늘며 긴 가시가 밀생하고 회갈색이다. 잎은 어긋나고 손바닥 모양의 겹잎이며 가장자리에 뾰족한 복거치가 발달하고 표면에 털이 있으며 뒷면은 어릴 때 맥 위에 갈색 털이 있다. 꽃은 산형꽃차례로 달리며 보랏빛 노란색으로 핀다. 열매는 둥글고 털이 없으며 검은색이다.

희귀식물이며 비슷한 식물로 소지에 털과 가시가 없고, 뒷면 맥 위에 잔가시와 갈색 털이 있으며, 꽃차례는 소화경이 짧아 둥글게 보이는 지리산오갈피(*E. divaricatus* var. *chiisanensis*)가 있다.

159 | 두릅나무과 | 오갈피나무(오갈피)

Eleutherococcus sessiliflorus (Rupr. & Maxim.) S.Y.Hu

형태 낙엽 활엽 관목 | 개화기 8~9월(결실기 : 10월) | 분포 전국 산야

산에서 자생하는 나무로 높이는 3~4m이고, 줄기는 회갈색으로 털이 없으며 가시도 거의 없다. 잎은 어긋나고 손바닥 모양 겹잎으로 가장자리에 잔 복거치가 발달하며 표면은 녹색으로 털이 없고 뒷면은 연한 녹색으로 맥 위에 잔털이 있다. 꽃은 산형꽃차례가 가시 끝에 달리며 취산상으로 배열하고 자주색으로 핀다. 열매는 장과로 타원형이며 약간 편평하다.

비슷한 식물로 잎 뒷면에 갈색 털이 밀생하는 털오갈피(*E. divaricatus*)가 있다.

송악(담장나무)

160
| 두릅나무과 |

Hedera rhombea (Miq.) Bean

형태 상록 활엽 덩굴성 | **개화기** 9~11월(결실기 : 5~7월) | **분포** 남부지방

산에서 자생하는 덩굴성 식물로 길이는 10m 이상이고, 줄기에 기근이 나와 다른 물체에 붙으며, 어린가지는 별 모양의 인모가 있다. 잎은 어긋나고 두꺼우며 윤채가 있는 짙은 녹색이다. 꽃은 암수한꽃으로 산형꽃차례 1개 또는 여러 개가 모여 취산 모양을 이루며 녹황색으로 핀다. 열매는 둥글고 검은색이다.

남부지방에서 소가 잘 먹기 때문에 소밥이라고 한다. 잎과 열매가 아름답고 다양한 모양을 만들 수 있어 지피식물로 사용한다.

161 | 두릅나무과 |

음나무(엄나무)

Kalopanax septemlobus (Thunb.) Koidz.

형태 낙엽 활엽 교목 | 개화기 8월(결실기 : 9~10월) | 분포 전국 산야

산에서 자생하는 나무로 높이는 25m이고, 수피는 회갈색으로 불규칙하게 세로로 갈라지며 가지에 가시가 많다. 잎은 어긋나고 둥글며 5~9개로 갈라지고 가장자리에 톱니가 있으며 표면에 털이 없다. 꽃은 암수한그루로 산형꽃차례를 이루며 황록색으로 핀다. 열매는 핵과로 거의 둥글며 푸른 흑색이다.

비슷한 식물로 상록성이며 자방은 5실로 잎이 5~9개로 갈라지고 골속이 굵지 않은 팔손이(*Fatsia japonica*)가 있다.

만병초(뚝갈나무)

162

| 진달래과 |

Rhododendron brachycarpum D.Don ex G.Don

형태 상록 활엽 관목 | **개화기** 5~6월(결실기 : 9월) | **분포** 백두대간, 울릉도

산에서 자생하는 나무로 높이는 4m이고, 어린가지에 회색 털이 밀생하지만 곧 없어지며 갈색으로 변한다. 잎은 어긋나고 가지 끝에서 5~7개가 모여나며 타원형으로 가장자리에 톱니가 없고 표면에 주름살이 진 것 같으며 뒷면은 회갈색 또는 연한 갈색 털이 밀생한다. 꽃은 흰색 또는 연한 분홍색이다. 열매는 삭과로 갈색이다.

희귀식물이며 비슷한 식물로 뒷면이 갈색이고 꽃이 노란색인 노랑만병초(*R. aureum*)가 있다.

163 꼬리진달래(참꽃나무겨우살이)

| 진달래과 |

Rhododendron micranthum Turcz.

형태 상록 활엽 관목 | 개화기 6~8월(결실기 : 9~10월) | 분포 강원도 이남 산지

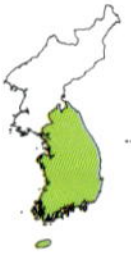

산에서 자생하는 나무로 높이는 1~2m이고, 줄기에 잔털 또는 인편이 있으며 이년지는 갈색이 돌며 털이 있다. 잎은 어긋나고 거꿀달걀 모양 타원형 또는 거꿀피침형으로 첨두 예형이며 표면은 녹색이고 흰색 점이 있으며 뒷면은 갈색 인편이 밀생한다. 꽃은 총상꽃차례로 모여 달리고 흰색으로 핀다. 열매는 삭과로 긴 타원형이다.

희귀식물이고, 씨와 꺾꽂이로 번식하며 관상용으로 심고 약으로 이용한다.

진달래(진달내)

164

| 진달래과 |

Rhododendron mucronulatum Turcz.

형태 낙엽 활엽 관목 | 개화기 3~4월(결실기 : 11월) | 분포 전국 산지

산에서 자생하는 나무로 높이는 2~3m이고, 줄기는 연한 갈색으로 인편이 존재한다. 잎은 어긋나고 긴 타원상으로 점첨두, 예형이며 가장자리에 톱니가 없고 표면에 인편이 약간 있으며 뒷면에 인편이 밀생하고 털이 발달한다. 꽃은 잎보다 먼저 피고 보랏빛의 붉은색 또는 연한 붉은색으로 핀다. 열매는 삭과로 원통형이다.

비슷한 식물로 흰색꽃이 피는 흰진달래(*F. mucronulatum* f. *albiflorum*)와 작은가지와 잎에 털이 있는 털진달래(*R. mucronulatum* var. *ciliatum*)가 있고, 먹을 수 있다.

165 | 진달래과 |

철쭉(철쭉꽃)

Rhododendron schlippenbachii Maxim.

형태 낙엽 활엽 관목 | 개화기 4~6월(결실기 : 10~11월) | 분포 전국 산지

산에서 자생하는 나무로 높이는 2~5m이고, 수피는 연황갈색으로 털이 없고, 어린가지에 샘털이 있으나 없어지며 회갈색이다. 잎은 어긋나고 가지 끝에 5개씩 모여나며 거꿀달걀형으로 작은 오목형, 예형이고 가장자리가 밋밋하며 뒷면은 연한 녹색이고 맥 위에 털이 있다. 꽃은 잎과 더불어 피고 꽃잎에 적갈색 반점이 있다. 열매는 삭과로 긴 타원상 난원형이다.

비슷한 식물로 흰색의 꽃이 피는 흰철쭉(*R. schlippenbachii* f. *albiflorum*)이 있고, 먹을 수 없다.

산철쭉(개꽃나무)

166

| 진달래과 |

Rhododendron yedoense f. *poukhanense* (H.Lév.) M.Sugim. ex T.Yamaz.

형태 낙엽 활엽 관목 | **개화기** 4~5월(결실기 : 9월) | **분포** 전국 산지

산에서 자생하는 나무로 높이는 1~2m이고, 수피는 회황갈색으로 줄기에 흰색 털로 덮여 있다가 다음해 없어지며 점성이 있다. 잎은 어긋나고 타원형으로 뒷면 특히 맥 위에 갈색 털이 밀생한다. 꽃은 꽃차례에 갈색 털이 있고, 꽃부리는 연한 붉은 보라색으로 깔때기 모양이다. 열매는 삭과로 달걀형이며 털이 있고 9월에 성숙한다.

비슷한 식물로 흰색 꽃이 피는 흰산철쭉(*R. yedoense* f. *albiflora*), 꽃이 만첩으로 피는 만첩산철쭉(*R. yedoense*)이 있다.

167 | 진달래과 |

산앵도나무(꽹나무)

Vaccinium hirtum var. *koreanum* (Nakai) Kitam.

형태 낙엽 활엽 관목 | 개화기 5~6월(결실기 : 9월) | 분포 전국 깊은 산

산에서 자생하는 나무로 높이는 1m이고, 어린가지에 털이 있다. 잎은 어긋나고 넓은 피침형, 넓은 거꿀피침형 또는 달걀형으로 예두이며 가장자리 안으로 굽은 잔톱니가 있고 뒷면 맥 위에 털이 있다. 꽃은 총상꽃차례로 지난해 가지 끝에서 나오고 밑으로 처진다. 열매는 달걀형으로 붉은색이다.

비슷한 식물로 꽃이 총상으로 달리며 열매가 검게 익는 정금나무(*V. oldhamii*)가 있다.

고욤나무(고양나무)

168

| 감나무과 |

Diospyros lotus L.

형태 낙엽 활엽 교목 | **개화기** 6월(결실기 : 10월) | **분포** 경기도 이남의 산지

산에서 자생하는 나무로 높이는 15m이고 지름은 50cm이며, 수피는 암회색으로 소지에 회색 털이 있으나 없어진다. 잎은 어긋나고 타원형으로 표면이 녹색이며 잎겨드랑이에 털이 있고 뒷면은 회녹색으로 맥 위에 굽은 털이 있다. 꽃은 암수딴그루로 연한 녹색이며 새가지 밑부분의 잎겨드랑이에 달린다. 열매는 장과로 둥글며 지름이 1.5cm로 노란색에서 검은색이 된다.

비슷한 식물로 어린가지에 갈색 털이 있으며 꽃에 화경이 없고 열매의 지름이 3cm 이상으로 큰 감나무(*D. kaki*)가 있다.

169 때죽나무(족나무)

| 때죽나무과 |

Styrax japonicus Siebold & Zucc.

형태 낙엽 활엽 소교목 | 개화기 5~6월(결실기 : 9월) | 분포 전국 산지의 양지

산에서 자생하는 나무로 높이는 7~8m이고, 수피는 흑갈색이며 세로줄로 일어난다. 잎은 어긋나고 달걀형 또는 긴 타원형으로 점첨두 또는 첨두, 예형이며 뒷면에 털이 맥겨드랑이에만 남는다. 꽃은 총상꽃차례로 달리며 흰색으로 핀다. 열매는 핵과로 난상 원형이고 껍질이 불규칙하게 갈라지며 회백색이다.

열매껍질은 물고기를 잡는 데 사용하고, 기름이나 약용하기도 하고, 기구재, 가공재 등으로 사용한다.

쪽동백나무(개동백나무)

170

| 때죽나무과 |

Styrax obassia Siebold & Zucc.

형태 낙엽 활엽 소교목 | **개화기** 5~6월(결실기 : 9월) | **분포** 전국 산지

산에서 자생하는 나무로 높이는 6~15m이고, 수피는 검은색으로 굴곡이 생기며 매끈하다. 잎은 어긋나고 타원형 또는 난상 원형으로 급한 점첨두, 원저이며 가장자리에 예리한 톱니가 있거나 없고, 표면 맥 위에 털이 있으며 뒷면은 흰빛이 돌고 별 모양의 털이 있다. 꽃은 총상꽃차례로 처지고 흰색으로 핀다. 열매는 핵과로 타원형이며 별 모양의 털이 밀생한다.

비슷한 식물로 일본 원산이며, 꽃이 복총상꽃차례에 달리고 씨방은 하위 또는 반 하위인 나래쪽동백(*Pterostyrax hispida*)이 있다.

171 노린재나무

| 노린재나무과 |

Symplocos chinensis f. *pilosa* (Nakai) Ohwi

형태 낙엽 활엽 관목 | 개화기 4~6월(결실기 : 9월) | 분포 전국 산야

산에서 자생하는 나무로 수피가 회갈색이며, 가지는 퍼지고 작은 가지에 털이 있다. 잎은 어긋나고 타원형 또는 긴 타원상 거꿀달걀형으로 점첨두 또는 첨두, 넓은 예형이며 가장자리에 긴 톱니가 있으나 뚜렷하지 않고 뒷면에 털이 있거나 없다. 꽃은 원추꽃차례가 새가지 끝에 달리며 흰색으로 핀다. 열매는 타원형이고 청색이다.

나무를 태운 재가 노란색이어서 붙여진 이름이며, 비슷한 식물로 잎이 타원형이고 열매가 검게 익는 검노린재나무(*S. tanakana*)가 있다.

이팝나무(니암나무)

172
| 물푸레나무과 |

Chionanthus retusus Lindl. & Paxton

형태 낙엽 활엽 교목 | **개화기** 5~6월(결실기 : 9~10월) | **분포** 경기도 이남

산에서 자생하는 나무로 높이는 25m이고 지름은 50cm이며, 수피는 회갈색으로 어린줄기가 황갈색으로 벗겨진다. 잎은 마주나고 타원형 또는 달걀형으로 가장자리가 밋밋하며 표면 중앙맥 밑부분에 연한 갈색 털이 있다. 꽃은 암수딴그루이고, 꽃차례가 새가지에 달리며 흰색으로 핀다. 열매는 핵과로 타원형이며 짙은 검은색이다.

비슷한 식물로 잎이 피침형이고 꽃잎의 너비가 1~1.5mm인 긴잎이팝나무(*C. retusus* var. *coreana*)가 있다.

173
| 물푸레나무과 |

물푸레나무(쉬청나무)

Fraxinus rhynchophylla Hance

형태 낙엽 활엽 교목 | 개화기 4~5월(결실기 : 9월) | 분포 전국 산지

산에서 자생하며 높이는 10m이고 지름은 50cm이며, 수피는 세로로 갈라지고 흰 가로무늬가 있으며 작은가지는 회갈색이다. 잎은 마주나고 홀수1회 깃털형겹잎으로 소엽이 5~7개이며 변이가 매우 심하고 뒷면 주맥 위에 털이 있다. 꽃은 암수딴그루 또는 암수한꽃이고 원추꽃차례 또는 복총상꽃차례가 새가지의 잎겨드랑이에 달린다. 열매는 시과로 날개가 피침형 또는 긴 피침형으로 약간 뾰족하다.

비슷한 식물로 꽃차례가 전년지에 달리고 소엽병이 거의 발달하지 않는 들메나무(*F. mandshurica*)가 있다.

쇠물푸레나무

174

| 물푸레나무과 |

Fraxinus sieboldiana Blume

형태 낙엽 활엽 교목 | **개화기** 5월(결실기 : 9월) | **분포** 황해도 이남의 산지

산에서 자생하는 나무로 높이는 10m이고, 소지는 회갈색으로 어릴 때 흔히 잔털이 있다. 잎은 마주나고 홀수1회 깃털형겹잎으로 소엽이 5~9개가 있으며 뒷면 중앙맥에 흰색 털이 있고 총잎자루 표면에 홈이 있다. 꽃은 암수딴그루로 새가지의 가지 끝 또는 잎겨드랑이에 달린다. 열매는 시과로 날개가 있고 붉은 보라색이다.

작은 물푸레라는 뜻으로 붙여진 이름이며, 비슷한 식물로 꽃차례는 잎이 없는 가지에 액생하고 잎의 뒷면이 회청색인 미국물푸레(*F. americana*)가 있다.

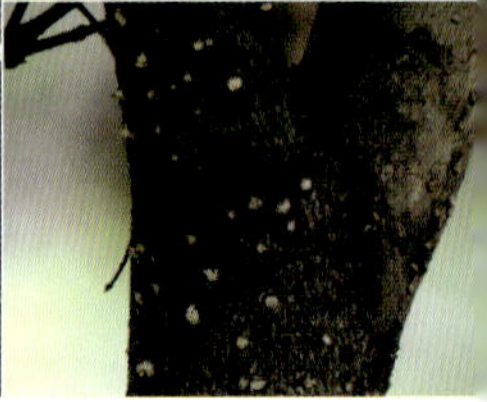

175
| 물푸레나무과 |

광나무

Ligustrum japonicum Thunb.

형태 상록 활엽 관목 | 개화기 7~8월(결실기 : 10월) | 분포 남부지방 산지

남쪽 산에서 자생하며 높이는 3~5m이고, 수피는 회색, 회갈색이며 피목이 뚜렷하다. 잎은 마주나고 두꺼우며 넓은 달걀형, 난상 긴 타원형으로 길이가 3~10cm이고 뒷면에 뚜렷하지 않은 잔점이 있으며 잎자루와 잎맥은 적갈색이다. 꽃은 복총상꽃차례로 새가지 끝에 흰색으로 달리고, 꽃부리 열편이 통부보다 약간 길거나 같고 뒤로 젖혀진다. 열매는 핵과로 달걀형의 원형이고 보랏빛 검은색이다.

비슷한 식물로 잎이 5~12cm로 더 길고, 꽃부리 열편이 통부보다 길며 열매가 타원의 둥근 모양인 당광나무(*L. lucidum*)가 있다.

쥐똥나무(검정알나무)

176

| 물푸레나무과 |

Ligustrum obtusifolium Siebold & Zucc.

형태 낙엽 활엽 관목 | 개화기 5~6월(결실기 : 10월) | 분포 전국 낮은 산지

산에서 자생하는 나무로 높이는 2~4m이고 수관폭은 3m이며, 가지가 가늘고 잔털이 있으며, 2년지는 털이 없고 회백색이다. 잎은 마주나고 긴 타원형으로 무딘형, 넓은 예형이며 톱니가 없고 뒷면 맥 위에 털이 있다. 꽃은 암수한그루이고, 총상 또는 복총상꽃차례로 많은 꽃이 달리며 잔털이 많다. 열매는 핵과로 난상 원형이고 검은색이다.

열매가 쥐똥처럼 생겼다 하여 붙여진 이름으로 산울타리용으로 많이 이용되고 있다. 비슷한 식물로 이년지에 털이 있고 어릴 때 표면에 털이 있는 털쥐똥나무(*L. obtusifolium* var. *regelianum*)가 있다.

177 꽃개회나무(짝짝에나무)

| 물푸레나무과 |

Syringa wolfii. C. K. Schneid

형태 낙엽 활엽 관목 | 개화기 6~7월(결실기 : 9월) | 분포 전국 산지

산에서 자생하는 나무로 높이는 4~6m이고, 소지에 피목이 있다. 잎은 마주나고 타원형 또는 긴 타원형으로 예두 또는 짧은 점첨두, 예형 또는 넓은 예형이며 톱니가 많고 연모가 있다. 꽃은 원추꽃차례로 새가지 끝에 달리고 털이 있으며, 꽃부리는 연한 보랏빛의 붉은색이다. 열매는 삭과로 무딘형 또는 첨두로 광택이 있다.

희귀식물이며 비슷한 식물로 어린가지와 소화경 및 꽃받침에 털이 있고 잎 뒷면 맥 위에 털이 있는 털꽃개회나무(*S. wolfii* var. *hirsuta*)가 있다.

개회나무(개정향나무)

178

| 물푸레나무과 |

Syringa reticulata var. *mandshurica* (Maxim.) H.Hara

형태 낙엽 활엽 소교목 또는 관목 | **개화기** 5~7월(결실기 : 9~10월) | **분포** 강원도 이북의 산지

산에서 자생하는 나무로 높이는 4~6m이고, 수피는 흑갈색으로 가로무늬가 있다. 잎은 마주나고 넓은 달걀형으로 급한 점첨두, 원저 또는 약간 심장저이며 가장자리가 밋밋하고 양면에 털이 없다. 꽃은 흰색으로 원추꽃차례가 전년지에서 가지 끝에 달린다. 열매는 삭과로 긴 타원형이며 둔두이다.

비슷한 식물로 꽃차례에 포가 달리는 수개회나무(*S. reticulata* f. *bracteata*)가 있고, 관상용이나 소가공재로 사용한다.

179 | 협죽도과

마삭줄(겨우사리덩굴)

Trachelospermum asiaticum (Siebold & Zucc.) Nakai

형태 상록 활엽 덩굴성 | 개화기 6~7월(결실기 : 8~10월) | 분포 남부지방 산지

산에서 자생하는 덩굴성 식물로 길이는 5m이고, 수피는 적갈색으로 줄기에서 뿌리가 내려 다른 물체에 잘 붙는다. 잎은 마주나고 타원형, 달걀형 또는 긴 타원형으로 가장자리가 밋밋하며 표면에 윤채가 있다. 꽃은 흰색에서 황색으로 변하고, 취산꽃차례가 가지 끝 또는 잎겨드랑이에 달린다. 열매는 골돌로 2개가 서로 평행하거나 예각이다.

비슷한 식물로 꽃밥이 꽃통의 후두부에 닿지 못하며 후두부에 털이 많은 털마삭줄(*T. asiaticum* var. *majus*)이 있다.

좀작살나무

180

| 마편초과 |

Callicarpa dichotoma (Lour.) K.Koch

형태 낙엽 활엽 관목 | **개화기** 8월(결실기 : 10월) | **분포** 서해안, 남부지방

해안가에 자생하는 나무로 높이는 1.5m이고, 작은가지는 네모지며 별 모양 털이 있다. 잎은 마주나고 거꿀달걀형으로 점첨두 예형이며 가장자리 밑부분 1/3부터 톱니가 있고 표면의 중앙맥 위에 별 모양 털이 발달했으며 뒷면에 샘이 있고 맥 위에 별 모양 털이 있다. 꽃은 양성화로 취산꽃차례가 잎겨드랑이에 연한 자주색으로 달린다. 열매는 핵과로 둥글며 지름이 2~4mm이고 보라색이다.

작은 작살나무라는 뜻에서 붙여진 이름이며, 비슷한 식물로 잎의 중앙 이하에도 톱니가 있고 열매가 지름 4~5mm인 작살나무(*C. japonica*)가 있다.

181

| 마편초과 |

작살나무

Callicarpa japonica Thunb.

형태 낙엽 활엽 관목 | 개화기 8월(결실기 : 10월) | 분포 전국 산지

산에서 자생하는 나무로 높이는 2~3m이고, 작은가지는 둥글며 별 모양 털이 있으나 점차 없어진다. 잎은 마주나고 거꿀달걀형, 긴 타원형으로 긴 점첨두, 예형이며 가장자리에 예리한 톱니가 있고 양면에 샘이 있으며 표면에 짧은 털이 있고 뒷면에 별 모양 털이 밀생한다. 꽃은 연한 보라색으로 취산꽃차례가 잎겨드랑이에 달린다. 열매는 둥글며 반짝이는 구슬 같고 보라색이다.

가지가 줄기를 중심으로 양쪽으로 갈라진 모양이 작살 같아서 붙여진 이름이며, 비슷한 식물로 잎 표면에 털이 있고, 뒷면에 선점이 없는 새비나무(*C. mollis*)가 있다.

누리장나무(구린내나무)

182 | 마편초과 |

Clerodendrum trichotomum Thunb.

형태 낙엽 활엽 관목 | 개화기 7~8월(결실기 : 9~10월) | 분포 강원도, 황해도 이남 산야

산에서 자생하는 나무로 높이는 2m이고, 수피는 회백색으로 줄기 전체에서 누린내가 난다. 잎은 마주나고 넓은 달걀형으로 가장자리가 밋밋하거나 큰 톱니가 있으며 뒷면 맥 위에 털이 있고 희미한 샘이 산생한다. 꽃은 양성화로 취산꽃차례가 새가지 끝에 달린다. 열매는 핵과로 둥근 모양이고 푸른색으로 익으며 붉은색의 꽃받침에 싸여 있다가 밖으로 드러낸다.

누린내가 나는 나무라는 뜻이며, 비슷한 식물로 잎 뒷면에 갈색 털이 밀생하는 털누리장나무(*C. trichotomum* var. *ferrugineum*)가 있다.

183 | 마편초과 |

순비기나무(만형)

Vitex rotundifolia L.f.

형태 낙엽 활엽 관목 | 개화기 7~9월(결실기 : 10~11월) | 분포 서남 해안가

해안가에 자생하는 나무로 줄기 옆으로 또는 비스듬히 자라며, 전체에 회백색 잔털이 있고, 소지는 약간 네모지며 흰색 털이 밀생한다. 잎은 마주나고 두꺼우며 달걀형으로 가장자리가 밋밋하며 표면에 잔털이 있고 회백색이 돌며 뒷면은 은백색이다. 꽃은 수상 원추꽃차례가 가지 끝에 달리며, 꽃부리는 푸른 보라색으로 겉에 흰색의 털이 있다. 열매는 핵과로 원형이며 검은 보라색이다.

밀원식물로 이용하며, 열매를 만형자라고 하여 두통을 치료하는 데 사용한다.

참오동나무(참오동)

184

| 현삼과 |

Paulownia tomentosa (Thunb.) Steud.

형태 낙엽 활엽 교목 | **개화기** 5월(결실기 : 10월) | **분포** 울릉도 자생, 전국 식재

전국적으로 식재하고 있는 나무로 높이는 15m이고, 가지는 굵으며 퍼지고, 어린가지에 털이 밀생한다. 잎은 마주나고 넓은 달걀형으로 3~5개로 약간 갈라지며 가장자리가 밋밋하고 표면에 털이 밀생하며 뒷면은 대가 있는 연한 갈색 털이 밀생한다. 꽃은 원추꽃차례가 가지 끝에 달리고, 꽃부리는 깔때기 비슷한 종형으로 연한 보라색이다. 열매는 삭과로 둥글고 털이 없다.

비슷한 식물로 잎 뒷면에 다갈색의 털, 화관에 자줏빛 선점이 없는 오동나무(*P. coreana*)가 있다.

185 인동덩굴(금은화)

| 인동과 |

Lonicera japonica Thunb.

형태 반상록 활엽 덩굴성 | 개화기 6~7월(결실기 : 9~10월) | 분포 전국 산지(함남북 제외)

산에서 자생하는 덩굴성 나무로 높이는 3~4m이고, 오른쪽으로 감아 올라가며, 소지는 적갈색으로 황갈색 털이 밀생한다. 잎은 마주나고 타원형으로 톱니가 없으며, 잎자루에 털이 많다. 꽃은 1~2개씩 잎겨드랑이에 달리며, 꽃부리는 흰색에서 노란색으로 되고 겉에 털이 있으며, 통부 안쪽에 복모가 있다. 열매는 둥글고 검은색이다.

겨울에도 곳에 따라 잎이 떨어지지 않기 때문에 붙여진 이름이며, 비슷한 식물로 어린가지와 잎에 갈색 털이 있는 털인동(*L. japonica* var. *repens*)이 있다.

괴불나무(아귀꽃나무)

186 | 인동과 |

Lonicera maackii (Rupr.) Maxim.

형태 낙엽 활엽 관목 | **개화기** 5~6월(결실기 : 9~10월) | **분포** 전국 산야

산에서 자생하는 나무로 높이는 5m이고, 가지의 골속이 비어 있으며 소지에 곱슬한 털이 있다. 잎은 마주나고 난상 타원형으로 첨두, 넓은 예형 또는 원저이며, 잎자루에 샘털이 있다. 꽃은 잎겨드랑이에 피고, 꽃부리는 흰색에서 노란색으로 변한다. 열매는 서로 떨어져 있고 달걀형 또는 원형으로 붉은색이다.

비슷한 식물로 꽃자루가 잎자루보다 길고, 꽃이 분홍색이며, 황색으로 변하지 않는 분홍괴불나무(*L. tatarica*)가 있다.

187 | 인동과 | 올괴불나무(올아귀꽃나무)

Lonicera praeflorens Batalin

형태 낙엽 활엽 관목 | 개화기 3~4월(결실기 : 5월) | 분포 전국 산야(경남 제외)

산에서 자생하는 나무로 높이는 1m이고, 수피는 황갈색으로 벗겨지며 골속은 치밀하고, 어린가지에 검은색 반점이 있다. 잎은 마주나고 달걀형 또는 타원형으로 양면은 분백색이며 표면에 잔털이 있고 뒷면에 융모가 있다. 꽃은 연한 노란색 혹은 붉은색으로 잎보다 먼저 피고 전년지 끝에 2개씩 달린다. 열매는 장과로 서로 떨어져 있고 둥글며 약간 편평하고 붉은색이다.

다른 괴불나무들보다 일찍 꽃이 핀다 하여 붙여진 이름이다. 비슷한 식물로 꽃이 잎과 같이 피거나 나중에 피며, 잎에 털이 없는 청괴불나무(*L. subsessilis*)가 있다.

구슬댕댕이(구슬댕댕이나무)

188

| 인동과 |

Lonicera vesicaria Kom.

형태 낙엽 활엽 관목 | 개화기 5월(결실기 : 7~8월) | 분포 전국 깊은 산

산에서 자생하는 나무로 높이는 1.5m이고, 수피는 세로로 갈라지며, 이년지가 회갈색이고, 작은가지는 적갈색으로 굳은 털과 선모가 있다. 잎은 마주나고 달걀형이며 표면은 맥 위에 노란털이 밀생하고 뒷면 맥 위에 거센털이 있다. 꽃은 잎겨드랑이에 달리고, 꽃부리는 연한 노란색이다. 열매는 장과로 둥글며 잔털이 밀생하고 붉은색이다.

비슷한 식물로 열매의 소포가 육질이며 열매는 타원형 또는 구형으로 검게 익는 댕댕이나무(*L. caerulea* var. *edulis*)가 있다.

189

| 인동과 |

딱총나무

Sambucus williamsii var. *coreana* (Nakai) Nakai

형태 낙엽 활엽 관목 | 개화기 5월(결실기 : 7월) | 분포 전국 산지

산에서 자생하는 나무로 높이는 3m이고, 수피는 암갈색으로 코르크질이 발달하며 길이 방향으로 깊게 갈라지고, 어린가지는 연한 초록빛, 마디 부분은 보라색이다. 잎은 마주나고 홀수1회 깃털형겹잎으로 소엽이 5~7(9)개이며 긴 타원형으로 가장자리에 뾰족한 톱니가 있다. 꽃은 돌기가 있고 가지 끝에 원추꽃차례로 달린다. 열매는 둥글고 붉은색이다.

비슷한 식물로 잎 표면 맥 위와 뒷면 전체, 화축과 꽃자루에 털이 있는 지렁쿠나무(*S. racemosa* subsp. *kamtschatica*)가 있다.

분꽃나무(붓꽃나무)

190 | 인동과 |

Viburnum carlesii Hemsl.

형태 낙엽 활엽 관목 | **개화기** 4~5월(결실기 : 10~11월) | **분포** 강원도, 서해안

산과 해안가에 자생하는 나무로 높이는 2m이고, 가지는 마주나며, 작은가지에 성모가 밀생한다. 잎은 마주나고 넓은 달걀형으로 가장자리에 불규칙한 톱니가 있으며, 표면은 별 모양 털이 드문드문 있고 뒷면에 별 모양 털이 밀생한다. 꽃은 취산꽃차례가 전년지 끝에 또는 1쌍의 잎이 달려 있는 짧은 가지 끝에 달리고 꽃잎과 같이 피고, 연한 붉은색이다. 열매는 핵과로 난상 원형이며 검은색이다.

비슷한 식물로 꽃부리가 수레바퀴형이고 꽃차례가 새가지 끝에 달리며 겨울눈이 나출된 산분꽃나무(*V. burejaeticum*)가 있다.

191 | 인동과 | 가막살나무(털가막살나무)

Viburnum dilatatum Thunb.

형태 낙엽 활엽 관목 | 개화기 5월(결실기 : 9~10월) | 분포 황해도 이남

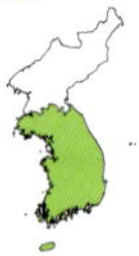

산에서 자생하는 나무로 높이는 3m이고, 수피는 피목이 있으며 전체에 거친 털이 있고, 어린가지는 회녹색으로 성모와 선점이 있다. 잎은 마주나고 아원형, 넓은 달걀형으로 양면에 별 모양 털이 있으며 뒷면에 샘이 있고 턱잎이 없다. 꽃은 복산형꽃차례가 밑부분에서 1쌍의 잎이 달린 짧은 가지 끝에 흰색으로 달린다. 열매는 핵과로 넓은 달걀형이고 붉은색이다.

비슷한 식물로 잎맥이 잎의 기부에서 장상으로 갈라지고 잎에 성모가 없는 산가막살나무(*V. wrightii*)가 있다.

덜꿩나무

192

| 인동과 |

Viburnum erosum Thunb.

형태 낙엽 활엽 관목 | **개화기** 5월(결실기 : 9~10월) | **분포** 황해도, 강원도 이남의 산지

산에서 자생하는 나무로 높이는 2m이고, 어린가지는 갈색으로 별 모양 털이 밀생한다. 잎은 마주나고 달걀형 또는 거꿀달걀형으로 점첨두, 원저, 넓은 예형 또는 심장저이며 표면에 별 모양 털이 드문드문 있고 뒷면은 밀생하며 턱잎이 있다. 꽃은 복산형꽃차례가 1쌍의 잎이 달린 짧은 가지 끝에 흰색으로 달리고 별 모양 털이 밀생한다. 열매는 핵과로 난상 원형이고 붉은색이다.

비슷한 식물로 잎이 작고 흔히 갈라지는 가새덜꿩나무(*V. erosum* var. *taquetii*), 잎이 원형에 가깝고 갈라지며 전체가 대형인 개덜꿩나무(*V. erosum* var. *vegetum*)가 있다.

193 백당나무(접시꽃나무)

| 인동과 |

Viburnum opulus var. *calvescens* (Rehder) H.Hara

형태 낙엽 활엽 관목 | 개화기 5~6월(결실기 : 9~11월) | 분포 전국 산지

산에서 자생하는 나무로 높이는 3m이고, 어린가지에 잔털이 있다. 잎은 마주나고 끝이 3개로 갈라지며 양쪽 2개의 열편이 밖으로 벌어지지만 윗부분의 잎은 갈라지지 않는 것도 있으며, 뒷면에 털이 있다. 꽃은 꽃차례 주변에 중성화가 있고 잔털이 있는 것도 있으며, 중성꽃부리와 유성꽃부리가 흰색이다. 열매는 둥글고 붉은색이다.

비슷한 식물로 모든 꽃이 무성화인 불두화(*V. opulus* f. *hydrongeoides*)가 있고, 관상용으로 사용한다.

붉은병꽃나무(당병꽃나무)

194

| 인동과 |

Weigela florida (Bunge) A.DC.

형태 낙엽 활엽 관목 | **개화기** 4~5월(결실기 : 9~10월) | **분포** 전국 산지

산에서 자생하는 나무로 높이는 2~3m이고, 어린가지에 2줄의 털이 있다. 잎은 마주나고 타원형, 난상 타원형으로 점첨두, 원저 또는 예형이며 잔톱니가 있고 표면 중앙맥에 잔털이 있으며 뒷면 중앙맥에 흰색 털이 밀생한다. 꽃은 잎겨드랑이에 1개씩 달리고, 꽃부리는 잔털이 있으며 연한 붉은색으로 약간 뒤로 젖혀진다. 열매는 삭과로 씨에 날개가 없다.

꽃이 붉은색의 병과 같다는 뜻이며, 비슷한 식물로 처음에 꽃이 흰색이고 통부가 붉은색이던 것이 전체가 적색으로 되는 색병꽃(*W. florida* f. *alba*)이 있다.

195 | 인동과 | 병꽃나무

Weigela subsessilis (Nakai) L.H.Bailey

형태 낙엽 활엽 관목 | 개화기 4월(결실기 : 9~10월) | 분포 전국 산야

산에서 자생하는 나무로 높이는 2~3m이고, 수피는 회갈색으로 작은 가지가 녹색이며 피목이 뚜렷하다. 잎은 마주나고 거꿀달걀형, 넓은 달걀형으로 가장자리에 잔톱니가 있고 양면에 털이 있으며, 뒷면 맥 위에 퍼진 털이 있고, 엽병이 거의 없다. 꽃은 황록색이 돌지만 적색으로 변하며, 1~2개씩 잎겨드랑이에 달린다. 열매는 삭과로 잔털이 있고, 씨에 날개가 발달한다.

우리나라 특산식물이며 비슷한 식물로 잎에 융모가 있고 꽃가지와 잎자루, 어린가지에 퍼진 털이 있는 흰털병꽃(*W. subsessilis var. mollis*)이 있다.

청미래덩굴(매발톱가시)

196

| 백합과 |

Smilax china L.

형태 낙엽 활엽 덩굴성 | 개화기 5월(결실기 : 9~10월) | 분포 황해도 이남 산지

산에서 자생하는 덩굴성 식물로 길이는 3m이고, 마디에서 굽어 자라며, 갈고리 같은 가시가 있다. 잎은 어긋나고 넓은 타원형으로 윤채가 있으며 혁질로 둥글거나 넓은 타원형이고 끝이 갑자기 뾰족해지며 원저 또는 아심장저이고 가장자리는 밋밋하다. 꽃은 암수딴그루로 산형꽃차례가 잎겨드랑이에 황록색으로 달린다. 열매는 둥글고 붉은색이다.

비슷한 식물로 가장자리 톱니에 굴곡이 있고, 가시가 곧으며, 열매가 검게 익는 청가시덩굴(*S. sieboldii*)이 있다.

197 | 백합과 |

청가시덩굴(청가시나무)

Smilax sieboldii Miq.

형태 낙엽 활엽 덩굴성 | 개화기 6월(결실기 : 9~10월) | 분포 전국 산지

산에서 자생하는 덩굴성 식물로 길이는 5m이고, 줄기는 녹색이며, 능선과 곧은 가시, 검은색 반점이 있다. 잎은 어긋나고 난상 타원형으로 가장자리가 물결 모양이고 끝이 뾰족하며 뒷면은 약간 윤채가 있고 잎자루 중앙부에 1쌍의 덩굴손이 있다. 꽃은 황록색으로 넓은 종 같으며, 산형꽃차례로 잎겨드랑이에 달린다. 열매는 장과로 둥글며 검은색이다.

푸른색의 가시가 있는 나무라는 뜻이며, 비슷한 식물로 원줄기에 가시가 없는 민청가시덩굴(*S. sieboldii* f. *intermis*)이 있다.

왕대(강죽)

198 | 벼과 |

Phyllostachys reticulata (Pupr.) K. Koch

형태 상록 활엽 교목 | **개화기** 4월(결실기 : 5~6월) | **분포** 남부지방 식재

주로 남부지방에 식재되며 높이는 20m(추운 곳은 높이 3m, 지름 1cm)이고, 줄기는 녹색에서 황록색이 되며, 포엽은 일찍 떨어지고 털이 있다. 잎은 엽편이 있고 3~7개씩 달리며 피침형으로 잔톱니가 있고 견모 5~10개가 개출되어 오랫동안 남는다. 꽃은 암수한꽃과 암수딴꽃으로 포는 거꿀달걀형, 거꿀달걀 모양의 타원형이고 끝에 달린 엽편이 달걀형, 피침형이며 드물게 핀다. 열매는 밀알 모양이다.

비슷한 식물로 줄기의 지름이 3~10cm로 흰 밀질로 덮이고 잎집에 반점이 없으며 자줏빛이 도는 솜대(*P. nigra* var. *henonis*)가 있다.

199 | 벼과 | 솜대(담죽)

Phyllostachys nigra var. *henonis* (Bean) Stapf ex Rendle

형태 상록 활엽 교목 | 개화기 4월(결실기 : 5월) | 분포 남부지방 식재

남부지방에 주로 식재되는 다년생 목본으로 높이는 10m 이상이고, 줄기는 처음에 백분으로 덮여 있지만 황록색으로 마디가 있으며 표면에 윤기가 있고 죽순은 4~5월에 나오며 연한 적갈색이다. 잎은 1~5(보통 2~3)개씩 달리며 피침형으로 잔톱니가 있고 견모가 5개 내외로 가지와 예각을 이룬다. 꽃은 2~5개의 암수한꽃과 암수딴꽃으로 포가 넓은 피침형이다.

비슷한 식물로 잎이 소지 끝에 3~(5~6)~5개씩 달리는 죽순대(*P. pubescens*)가 있다.

조릿대(조리대)

200

| 벼과 |

Sasa borealis (Hack.) Makino

형태 상록 활엽 관목 | **개화기** 4월(결실기 : 5~6월) | **분포** 전국 산지(제주도와 울릉도 제외)

산에서 자생하는 나무로 높이는 1~2m이고, 줄기의 지름은 3~6mm이며 털이 없고 녹색이며 마디는 구형으로 도드라지고 주위가 약간 자주색이다. 잎은 긴 타원상 피침형으로 점첨두이거나 꼬리처럼 길고 급한 예형으로 가장자리에 가시 같은 잔톱니가 있으며 엽초에 털이 있다. 꽃은 꽃차례에 털과 백분으로 덮여 있고 아랫부분이 자주색 포로 싸여 있으며 소수가 2~5개이다.

복조리를 만드는 대나무라는 뜻이며, 비슷한 식물로 소수가 녹색이며, 엽초에 털이 없고, 엽초 기부가 비대하며 줄기가 갈라지지 않는 제주조릿대(*S. palmata*)가 있다.

국명 * 찾아보기

굵게 표시한 것은 이 책에 들어간 주요식물이며
가늘게 표시한 것은 주요식물과 비슷한 식물입니다.

학명 * 찾아보기

굵게 표시한 것은 이 책에 들어간 주요식물이며
가늘게 표시한 것은 주요식물과 비슷한 식물입니다.

수목원, 산림박물관* 안내

* 수목원 (14개소)

명 칭	위 치	전화번호
홍 릉	서울. 동대문. 청량리동	(02) 961-2871
국 립	경기. 포천. 소흘. 직동	(031) 540-1114
물 향 기	경기 오산 수청	(031) 378-1261
대 구	대구. 달서. 대곡	(053) 642-4100
한 밭	대전. 서. 만년	(042) 472-4976
강원도립화목원	강원. 춘천. 사농동	(033) 243-6012
미 동 산	충북. 청원. 미원. 미원	(043) 220-5584
금 강	충남. 공주. 반포. 도남	(041) 850-2631
대 아	전북. 완주. 동상. 대아	(063) 243-1951
완 도	전남. 완도. 군외. 대문	(061) 552-1544
내 연 산	경북. 포항. 북. 죽장. 상옥	(054) 262-6110
가야산야생화식물원	경북. 성주. 수륜. 백운	(054) 931-1264
경상남도	경남. 진주. 이반성. 대천	(055) 771-6541
한 라	제주. 제주. 연동	(064) 746-4423

* 산림박물관 (9개소)

명 칭	위 치	전화번호
대 구	대구. 달서. 대곡	(053) 429-3576
경 기	경기. 오산. 수청	(031) 249-4562
광 릉	경기. 포천. 소흘. 직동	(031) 540-1033
춘 천	강원. 춘천. 사농동	(033) 243-6012
공 주	충남. 공주. 반포. 도남	(041) 850-2662
충청북도	충북. 청원. 미원. 미원	(043) 220-5592
순 창	전북. 순창. 복흥. 서마	(063) 280-2664
경상북도	경북. 안동. 도산. 동부	(054) 855-8681
경상남도	경남. 진주. 이반성. 대천	(055) 771-6500

생명과 역사가 어우러진 아름다운 터전

국립수목원* Korea National Arboretum

* 미래를 위한 인내와 저축

현재 국립수목원은 주말과 공휴일에 개방을 제한하고 예약제를 통하여 1일 입장객을 5,000명 이하로 한정하고 있습니다. 이는 날로 높아가는 개발압력에 대하여 광릉숲의 보존이 무엇보다도 중요한 과제로 제시되어, 적극적인 보호방안으로 실시하는 것입니다.
주말개방을 통해 얻을 수 있는 잠깐 동안의 즐거움보다는 다소 불만족스럽더라도 미래를 위해 숲을 보존하고 생물다양성 보전에 동참한다는 생각으로 양해해 주시기 바랍니다.

* 국립수목원 방문안내

개 방 일 : 매주 화요일~토요일 (개원일과 겹친 공휴일은 개방)
개방시간 : 4월~10월 09:00~18:00 11월~3월 09:00~17:00
방문예약 : 홈페이지 http://www.kna.go.kr 전화 031) 540-2000 (방문전 예약제 운영)
입 장 료 : 어른 1,000원 / 청소년(만13세~만19세) 700원 / 어린이(만7세~만12세) 500원
무료(만65세 이상, 만6세 이하 및 장애인, 유공자-신분증 지참) 단체할인없음
주 차 료 : 버스(대형) 5,000원/일 소형차 3,000원/일 경차 1,500원/일

* 관람객 주의사항

수목원 안에는 음료수 외의 음식물을 파는 곳이 없으며, 대신 간단한 도시락을 가져올 수 있고 지정된 장소에서 식사가 가능합니다. 이밖에도 애완동물, 식물 · 곤충 채집도구, 자전거, 운동기구(공, 라켓 등), 알콜 음료(주류), 쓰레기가 많이 생기는 음식물(수박 등의 과일)을 가지고 들어갈 수 없습니다.
수목원 안에는 출입을 제한하는 곳이 많습니다. 광릉숲의 생물다양성을 보전하고 관람객의 안전을 위한 것이니, 관람은 출입이 가능한 공간에서만 해야 합니다.
또한 전시원에 식재된 식물이나 전시시설물을 훼손해서는 안 되며, 경계를 뛰어넘거나 다른 관람객의 통행을 방해하거나 다른 피해를 주는 행위(카메라 삼각대 설치, 고성방가, 기도 등 종교 행위)도 삼가해야 합니다.

우리 산에서 만나는 나무 200가지
200 Trees of Forest in Korea

초판 1쇄 발행 2010년 8월 25일
초판 9쇄 발행 2017년 3월 30일

지은이 국립수목원
집필 조동광, 이유미, 류혜선, 오승환, 장계선
편집기획 이유미, 정수영, 양형호, 변경열

펴낸곳 지오북(**GEO**BOOK)
펴낸이 황영심
편집 전유경, 김민정
디자인 김길례

주소 서울특별시 종로구 사직로8길 34, 오피스텔 1321호
(내수동 경희궁의아침 3단지)
Tel_ 02-732-0337
Fax_ 02-732-9337
eMail_ book@geobook.co.kr
www.geobook.co.kr

출판등록번호 제300-2003-211
출판등록일 2003년 11월 27일

ISBN 978-89-94242-05-7 06480